デンマーク文化読本

日本との文化交流史から読み解く

長島要一 著

丸善出版

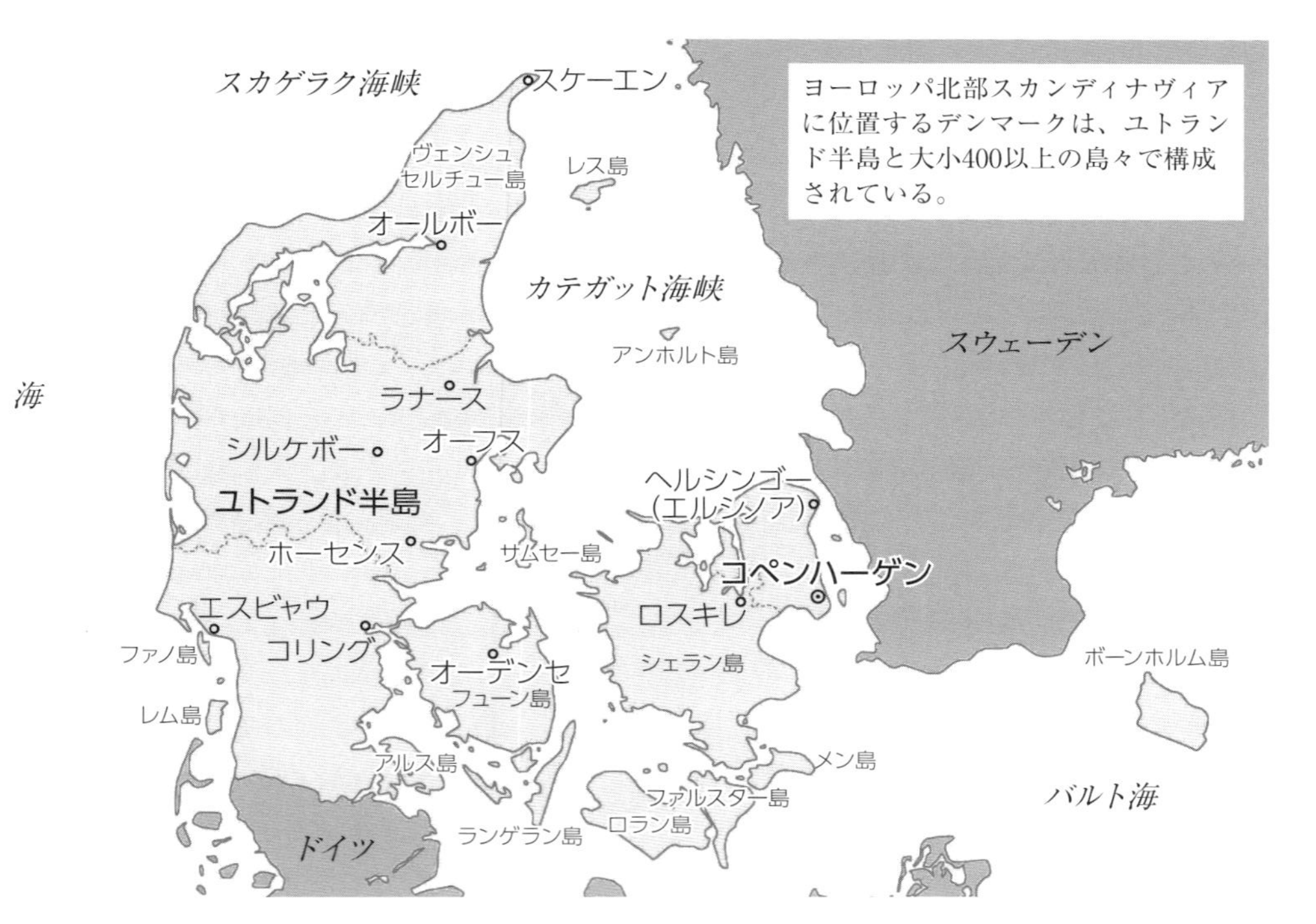

ヨーロッパ北部スカンディナヴィアに位置するデンマークは、ユトランド半島と大小400以上の島々で構成されている。

はじめに

日本とデンマークは、二〇一七年に外交関係樹立一五〇周年を記念して各種の催しを両国で行なった。歴史を振り返り、現在まで続いている交流関係をさまざまな分野で捉え直し、将来への展望を描いて見せた。

日本・デンマーク文化交流史を研究してきた筆者は、随所でその成果を活用できる機会を得て、研究者冥利に尽きる思いをした。一つだけ心残りだったのは、主にデンマーク語で執筆して発表してきた図書・論文類が、必ずしもすべては日本の読者に伝わっていたわけではないことである。散発的に日本語版を出版してきてはいるが、中には学術書として刊行したために、一般読者には届いていないものもある。こうした背景のもと、長年勤めてきたコペンハーゲン大学の現職を退き名誉職の地位になった好機に、デンマークの文化・歴史を日本との接点において叙述する一般書を刊行する企画を思いついた。

幸い、丸善出版が「外国文化読本」の一冊として出版することを快諾して下さり、「日本との接点」を軸にするために他の読本とは毛色を異にするにもかかわらず、ご助力をいただけることになった。心より感謝申し上げる次第である。

Ⅰ部第1章「デンマークの歴史・地理」、第2章「デンマーク人の進取の気性」、Ⅱ部「日本・デンマーク文化交流史から」は、ほぼ全体が筆者の研究書から抜粋したハイライトの部分を読みやすく紹介したものであるが、未発表のエピソードも加えてある。デンマーク人の残した日本滞在記、旅行記の類の紹介に重点が置かれているが、彼らの日本を観察する視点、日本という鏡に映った個々のデンマーク人の感想を通じて、逆にデンマーク人の性格と気質を知っていただきたいからである。その他の章は、筆者の研究に基づき、それをさらに拡大し幅を広げて、デンマークの文化の諸相を日本からの視点で見直そうと試みたもので、デンマーク滞在が五十年以上になる筆者の体験が織り交ぜられている。類書では読めない情報が多くあるはずなので、ご期待にそえるよう祈りたい。さらに、従来の多少ステレオタイプ化しているデンマーク文化観に、筆者の特異と言えば聞こえが良すぎるかもしれないが、インサイドレポート風の感想も紹介してある。世界も時代も激しく変化している今日、筆者の指摘を道標のように見ていただけるならば幸いである。

章立てに関しては、各章内部では一応年代順にはなっているものの、順列に特別な意図はないので、どこからでも読み始めることができるはずだが、先行の章で既述のことがらは繰り返していないので、できるだけ通読をお勧めしたい。なんらかの発見があると信じている。

二〇二〇年九月

筆　者

目次

I部　デンマークの歴史から文化・社会まで

第1章　デンマークの歴史・地理と日本との接点

第2章　デンマーク人の進取の気性と日本との接点

第3章　デンマークの美術・デザインと日本との接点

第9章　明治期以降、敗戦まで

第10章　戦後から現代まで

Ⅰ部　デンマークの歴史から文化・社会まで

第1章　デンマークの歴史・地理と日本との接点

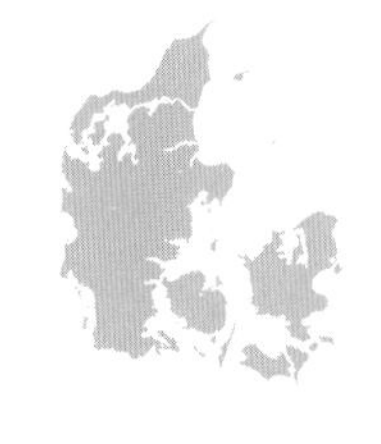

東インド会社の台頭

日本が戦国時代だった頃、地球の反対側の北欧では、一三九七年にデンマーク・ノルウェー・スウェーデン三王国間で締結されたカルマル同盟が、浮沈と変遷を経ながらもなお存続していた。ところが、ドイツのリューベックを中心にバルト海沿岸に勢力を広げていたハンザ同盟に対抗して強い海洋国家を建設する夢を抱いていたデンマーク国王クリスチャン二世が台頭し、スウェーデンを制圧して分裂していたカルマル同盟を再興するに至り、一大事業が進展するかに見えたが、企画力はあっても実行力にかけていた国王の優柔不断が災いして北欧は混乱に陥った。やがてクリスチャン二世の叔父がフレデリック一世として即位、デンマークとノルウェーの国王となり、スウェーデンでもグスタフ・ヴァーサがグスタフ一世として即位し、スウェーデンが一五二三年に独立するに至りカルマル同盟はついに解体してしまった。以後、貴族主導の古い体制に戻ったかに見えた北欧では紛争が続いていたが、時代の趨勢は着実に新興市民階級が擁護する重商主義の方向に向かっていた。日本でも南蛮船来航と鉄砲の伝来にともなって戦国時代が終焉を迎え、国が統一されていくようになる。同時にアジアの海域で一大海上貿易圏が形成されていくのである。

一五〇〇年代の末からオランダが新興海運国として頭角を現わし、一六〇〇年に東インド会社を創建したイギリスとともに、それまでアジアに君臨していたスペインとポルトガルを市場から駆逐した。オランダも一六〇二年に東インド会社を創立、続いてフランスも一六〇四年に東インド会社を設立してアジアに進出し英仏蘭の東インド会社が日本と交易を開始した。まさに徳川幕府開設の時期であった。なかでもオランダ東インド会社は非常によく組織されていて、バタヴィア（現在のジャカルタ）を拠点に利潤の高いアジア市場を次々と征服し、ついにはアジア最強のパワーとなっていく。

こうした世界情勢の中、一六〇〇年台初頭にクリスチャン四世（在位一五八八―一六四八）の重商主義的拡張政策が果敢に展開されていたデンマークでは、オランダの成功を手本にして東インド会社経営に乗り出したのである。その前提としてデンマークには商業全般の繁栄があり、農産物の輸出も好調で、好景気を背景にクリスチャン四世の指揮のもとで軍備を整え、バルト海域にも均衡が保たれていた。このような国内の繁栄と周辺地域の平和を基盤に、クリスチャン四世は海外進出とさらなる利潤の追求を目指して、一六一六年、徳川家康が没した年に、デンマーク東インド会社を設立したのだった。英仏蘭に続く世界で四番目の東インド会社である。

折しもオランダ東インド会社はアジアへの航海と東アジア貿易を独占する立場にあり、膨大な利益を上げていた。デンマーク東インド会社設立が提案された当初から、常にオランダ人商人が関わっていたが、彼らの助力を得て一六一八年に最初のデンマーク船が東アジアに送られ、紆余曲折の末、一六二〇年にインド東岸のトランケバーに要塞を築いて東インド貿易の拠点とした。トランケバーは数年間発展を続け販路を広げていたが、一六一八年に勃発していた三十年戦争(注)にデンマークも巻き込まれたために東インド会社も高額の軍資金を求められ、経済的危機に見舞われた。以後、高価な積荷を運んでデンマークに帰還する船がまれになり、デンマーク東インド会社の成績は不振に陥った。

一六三六年になってようやくデンマークから二隻のデンマーク船がトランケバーに到着し、前任同様オランダ人のベーレント・ペッサルトが新総督の地位に就いた。ペッサルトはオランダ東インド会社出身の経験豊かな商人で、日本との貿易も手がけたことのある人物だったが、前任者の借金を抱えた困難な状況下での事業に失敗を重ね、やがて飲んだくれとなり、挙句は牢獄に入れられた。日本で鎖国体制が整った徳川家光治世の一六三九年に新たに二隻のデンマーク船が東インドに送られるが、途中不運が重なり四年後の一六四三年についにトランケバーに達したときには、デンマーク東インド会社は最悪の状態にあった。その間に出獄していたペッサルトは、後任の総督から即刻解任され帳簿の提出を求められたが、ペッサルトは船を盗んで逃走、さらに小型船を買って翌一六四四年に日本へ向かって出発したのだった。積荷として、当時の日本では刀の鞘や柄に使うので特別需要の高かったエイの皮を三万枚用意した。ところがマラッカ海峡を通過するときにオランダ船に発見されて捕らえられた。裁判にかけられ釈放されるが、日本への航海は禁止され、エイの皮も没収されてしまった。やがてマニラに航海するよう強要されるが、ペッサルトの船はマニラ湾に達する前に原住民の戦士たちに襲われ、ペッサルトも死亡した。ちなみにオランダ東インド会社が略奪したエイの皮三万枚は、後日長崎の出島で日本側に売却された。

ペッサルトの死とともに、デンマーク船が日本に初めて到達する望みは消えてしまった。ペッサルトはオランダ人の総督でデンマーク人ではなかったが、彼の無謀な行動のおかげで、日本はデンマーク王国とデンマーク人のことを初めて知るようになったのだった。

ペッサルトの動向は、オランダ東インド会社の「日誌」に記されていて知ることができる。さらに長崎出島のオランダ商館長の日記にもペッサルトに関する記録があり、こうした情報のすべてが平戸の領主に与えられ、やがて江戸の幕府にも伝えられた。オランダ東インド会社は日本側に注進し、デンマーク人が日本に来ても帰されるよう、事前に手を打っていた。東アジア貿易の覇権を握っていたオランダ東インド会社は、対日貿易独占のためには手段を選ばず、矮小なデンマーク東インド会社でさえ、徹底的に排除しようとしていた。その政策が日本の鎖国体制の利害と一致し、オランダ東インド会社は、言わば日本の番犬となって自主的に日本周辺の海防にあたっていたのである。

この好意的な日本防衛ラインがなければ、徳川幕府の鎖国政策が長期にわたって継続されることはなかったはずである。オランダに守られていたからこそ維持できた鎖国であり、後にオランダの力が弱まるに従って、鎖国体制にひびが入るようになった。

デンマークの貿易発展と日本

一六四八年にクリスチャン四世が死去した後、トランケバーのデンマーク東インド会社の拠点は困難な時代を迎えることになった。オランダ東インド会社が隆盛を極めていたとき、トランケバーは生き残り作戦を展開し、海賊行為まがいのことまでするようになっていた。ところが、対スウェーデン戦争終結後に好転したデンマーク経済のおかげで、二十九年ぶりにデンマーク船フェロー号がトランケバーに派遣され、一六六九年に到着、要塞の本格的工事が着工され、ダンスボー要塞が完成した。フェロー号はジャワ島まで航海して胡椒を積み込み、一六七〇年にコペンハーゲンに帰港した。

小規模ながら成功を収めたこの航海が契機となり、同年、デンマーク東インド会社は再建の運びとなる。同じ年の一一月、新国王クリスチャン五世によって新しい特許が発布され、会社は四十年間にわたる東インド貿易の独占権を獲得した。これに続く五十年ほどの間、デンマークの東インド貿易はようやく軌道に乗り、利益を上げるに至った。しかし、オランダはこの再建会社の進出を喜ばず、弱小ながら商売敵のデンマークに対して警戒心を強めていた。

一六七四年になってフォルチューナ号が東アジアへ出発したが、今回は中国、日本、トンキンの国王宛のクリスチャン五世の親書を携えていた。書簡には、冒頭で慇懃な挨拶を長々と述べた後で以下のような提言がされた。


「両国が親交を結ぶのは好ましいことである。けれども地理的にかけ離れているので、友情を育むには海運と貿易が最良の方法である。デンマークは東インドに植民地を持っているので、そこから、もしくはバンタムのデンマーク商館から日本へ向けて船を派遣するよう、指令を出した。日本国王と親交を結び、両国の臣民が貿易と商取引を行うことができるよう、国王に懇願するためである。デンマークの臣民が日本でつつがなく交易を行い、取引終了後は無事に帰国の航海に出られるよう、守ってやっていただきたく日本国王にお願いする次第である。」

（筆者訳）


要約すると以上のような内容の書簡であるが、この書簡は日本に届くことなく失われて、現存するのは複写だけであるが、それには、オリジナルでは国王の名がすべて金字で書かれたと記載してある。

以後、デンマークの東インド貿易は順風に恵まれ、特にジャワ島バンタムの商活動は活発で、オランダと激しい競争をするようになる。デンマーク側の好景気は、中立政策によるところが多かった。折から敵対関係にあったオランダとフランスの間に立って、中立国デンマークは漁夫の利を得ていたのだった。けれども和平が訪れると利益を失った。しかし、一六八八年に再びヨーロッパに大戦が勃発し、九七年までオランダも参戦、さらには、一七〇一年から一四年まで続いたスペイン王位継承戦争の間には、デンマーク東インド会社に好景気が再来した。このように、中立国デンマークの東インド貿易は、ヨーロッパの政治状況に極めて敏感に反応して存続していたが、デンマーク船はついに日本まで来ることはなかったのである。

鎖国日本に届いた異国のたより

直接の交渉は実現しなかったにしろ、デンマークに関する情報は僅少ながら日本に伝えられていた。オランダ商館のあった長崎の出島が、鎖国日本の世界に開けられた窓として機能していたからである。この窓を通して日本人は、オランダ人がもたらした世界の情報を、通詞（通訳）経由で受け取っていた。

知識欲旺盛な日本の学者の好奇心は、長崎だけではなく江戸でも満たされていた。オランダの使節が恒例の江戸参府を行って将軍に謁見する際には、風説書と呼ばれた日本の通詞によって翻訳された文書、ヨーロッパを中心とする外国での政治状況その他を伝えるニュースレターを持参していた。江戸参府がないときでも、風説書は受領されるや直ちに翻訳されて江戸の将軍のもとに送られた。風説書は一六四一年から一八五七年までの間にほぼ毎年届けられており、年によっては複数の風説書が出されることもあった。風説書はもともと将軍の命により提出された公式文書であったが、オランダ側はその特権的地位を利用して情報を操作し、日本市場を狙う競争相手を振り落とす手段としても活用していた。

ペッサルトの動向も、一六七〇年にデンマーク東インド会社が再建され日本との交易を開く計画があるという情報も、すべて風説書を通じて日本側に知らされてあった。一六七五年の風説書には通詞によってデンマークがオランダと同じ（キリスト教の）「宗旨」すなわちプロテスタントであると付記されており、さらに、翌年になって長崎奉行岡野孫九郎が、デンマーク船が出没したときの処置を幕府に伺っている。それに対する幕府の返答は、イギリス船が来たときと同じようにせよ、であった。ここで言及されているイギリス船とは、一六七三年に長崎に渡来したリターン号のことである。交易再開を要求したイギリスを幕府は拒否し、リターン号は長崎を去った。これによってイギリスは日本の市場から完全に駆逐されたのだった。その背後では、オランダが姑息な手段をもって幕府を動かしていた。

デンマークの日本進出も、拒絶すべしと、デンマーク船が出没する前にあらかじめお膳立てされていたのである。オランダはそこまで周到な準備をして日本貿易独占を守り抜いていたわけである。フォルチューナ号は、船長がバンタムで死去したために日本に達することはなかった。クリスチャン五世の親書も届かなかった。その結果、デンマークが日本へ渡る夢は完全に消え去ってしまった。オランダの日本貿易独占は、何事もなかったように継続する。

風説書は当時最新の外国事情に関する情報を伝えていたが、日本ではそれ以外にも、世界全般にわたる知識が徐々に拡大されていった。以前は日本人にとっての「世界」とは、中国が中心にあって日本がその東、中間に朝鮮があり、北に蝦夷（北海道）、はるか西に天竺（インド）があるといったものだったが、「南蛮人」の到来とともにそれまでは伝説的だったヨーロッパが視野に入るようになり、日本人の世界図はインドよりさらに西に広がった。

西洋の地理学に基づいて作成されたマッテオ・リッチの世界図（一六〇二）は、朱印船による日本の海外貿易が盛んになるにつれて漢訳された西洋地理書とともに日本に輸入され、たちまち模写され彩色をほどこされて流布した。

さらに一六四五年には、マッテオ・リッチの世界図に近似していながら手が加えられ日本化された、作者不詳の和製世界図『萬國總圖（万国総図）』が製作された。日本版でも「世界」は楕円形に描かれているのだが、原作では上が北で下が南なのに対し、日本版は九〇度左回転し、上が東、下が西になっている。中国と日本を中心に据えた地図が縦長の版にされた裏には、周囲に世界人物図を置く必要性があったからかもしれない。デンマークも「タニヤ」という名で地図に記され、デンマーク人男女の図が添えられている。どこのどんな国かも知らないままに日本人は、一六四五年の地図に「タニヤ」と記載し、デンマーク人を描いて彩色した。改作された地図ではあったがデンマークの国名が記入され、ヨーロッパの書物から模写した人物図にしろ、日本人の手によってデンマーク人が初めて描かれたのだった。『萬國總圖』人物図の左から二番目の列の上から六段目に、デンマーク人の男女が描写されている。その左下には「小人国」と「大人国」の人物が添えられているが、これは原作にはなく、日本人の慣習と伝統に合わせて一部改修し、伝説を保存していたことが分かる。

ちなみに日本渡来を敢行したペッサルトに関する情報が日本に伝えられ、デンマークという国があることを日本人が知ったのが一六四四年であった。

以後、日本人のデンマークに関する情報は、しごく細々であったにしろ、確実に増加していった。

輪郭を帯びるデンマーク

鎖国をしていながら、日本を世界の中心に据えようとする試みは、地図のみならず、地理書、地誌書においても行われた。なかでも西川如見の『華夷通商考』（一六九五）は画期的な著作だったが、その改版である『増補華夷通商考』（一七〇九）では最新情報をもとに中国の十五州と世界の合計五十九か国が扱われ、すべて日本との関係において地誌、産物、慣習などが記述されている。注目すべきは、この著作にもなお、オランダの北にあるとされる夜人国、一つ目で口が額にあり、半年が夜ばかり、後の半年は昼ばかりという国の人々が描写されていることである。「小人国」「長人国」

の記述もあり、これら想像の国の混入は、日本の伝統的な世界図が根強く残っていたのはもちろんとして、元禄時代以後の日本人が、この種の著作に娯楽性を求めていた証左であると思われる。外国と外国人にまつわる情報は、日本がまさに鎖国していた故に、商業化され娯楽化されていた。絵画においても挿画においても、外国人は風刺の対象となり類型化されていたのである。

『増補華夷通商考』巻五にデンマークについての記事が所収されているが、以上のような背景を考慮に入れて読む必要がある。誤りもあるが、現代語訳で紹介すると次のようになる。

「デンマークはポーランドの東【西】の大変寒い国である。この国の北は氷の海で、「夜国」に近い。デンマークの海で氷が溶けると大きな船が往来するようになる。魚が非常に豊富で、水面を覆うほどであり、船の行き来ができないこともあると言われている。畑では五穀を産し、土中には金銀銅鉄錫鉛が多い。人物は勇ましく強くて盗賊はいない。売買に金銀は不用で、物々交換で交易していると言う。」（筆者訳、【西】が正しい）

こうした記述は現行の諸著作を総合したものであったが、西川如見は人物図も同様に改良したものを出版した。人物図に各国を描写した文章を補足して、『四十二国人物図説』の表題のもと、一七二〇年に刊行した。いまだごく初歩的な段階ではあったが、ここに日本で初めての民族誌学的記述がなされ、以後の手本とされた。これは時代を通じて版を重ね、一八四三年になってようやく

図1　デンマーク人男女
（西川如見『萬国人物図』1720より、『四十二国人物図説』所収、国立国会図書館所蔵）

新版が『萬国人物図』という表題で出版された。デンマーク「タニヤ（大泥亜）」に関する多少不正確な記述は以下のとおりである。現代文に直してある。

「デンマークはヨーロッパの中にあってポーランドの東【西】にある大変寒い国である。非常に大きな国で南北に長く、南は地中海に近く北は極地に近く、夏の季節には夜が甚だ短くて昼が甚だ長く、冬の季節には夜が甚だ長くて昼は甚だ短い。海には魚が多く、山林や獣類は諸国より優れ、五穀も宝貨も豊饒で、天体運行の測定器はこの国が唯一だとされていると聞き伝えられている。」（筆者訳、【西】が正しい）

ここで注目すべきは、最後の一行にある「天体運行の測定器はこの国が唯一」の部分である。言及されているのはティコ・ブラーエ（一五四六－一六〇一）で、当時としては最高の天体運行測定器を作製し、膨大な天体観測記録を残して惑星の運動に関するケプラーの法則を生む基礎を築いたデンマークの天文学者であった。

『萬国人物図』には白黒の人物図が添えられているのだが、これは一六四五年刊の『萬國總圖』人物図を模倣して作った木版刷りで、線も単純ならば細部もさほど詳しくない（図1）。

『増補華夷通商考』が発行された前年の一七〇八年、イタリア人宣教師ジョヴァンニ・バッティスタ・シドッチが幕府の厳禁に逆らって密入国した。到着後間もなく捕らえられて江戸の牢屋につながれ、一七一五年に死去するまで、宣教をすることもなく終わった。そのシドッチを尋問し外国での状況を聞きただしたのが新井白石である。シドッチの死後、白石は聞き書きしたものを一冊の書物にまとめ、『西洋紀聞』と題した。三部に分かれ、第一部がシドッチとの出会いと本の成り立ちについて、第二部は、シドッチから聞いた外国の事情と地理について、そして第三部が、宗教に関する白石の質問に対するシドッチの答えになっている。

西川如見の著作がヨーロッパの地理、地誌、交易を扱っていたのに対し、白石の『西洋紀聞』はさらに歴史と宗教（キリスト教）にも触れていた。それが理由で『西洋紀聞』は一八八二年まで公刊されなかったのだが、同書の第二部、地理に関する部分は、『西洋記聞』が完成する二年前の一七一三年に、『采覧異言』として刊行された。

『西洋紀聞』が古文で書かれていたのに対して、『采覧異言』は漢文で、『西洋紀聞』は三十三か国しか扱っていないが、『采覧異言』は五章に分かれ、八十二か国の記述をおさめている。

『采覧異言』は、地理学の観点から世界諸国を同時代的かつ客観的に描写しようとしたもので、白石はマッテオ・リッチの著作を基盤に置き、それを主としてオランダの情報源を参照しながら編集し直した。説明のできないこと、確信のないことは正直にその旨を断っている。それにひきかえ『西洋紀聞』の方は、シドッチからの聞き書きをもとにして西洋文化の実態を見極め、西洋文明の核を求めて歴史をさかのぼるという方法を取っている。それまでのマッテオ・リッチの漢訳本によっていた世界認識が、西洋からの直接かつ最新の情報によって補充され、さらに、オランダ人が風説書などによってもたらす情報で更新され調整されていた。例えば、オランダの北にある「夜人国」は、『西洋紀聞』の中で「グルーンランデヤ」（グリーンランド）という新しい名前を与えられ、実在する土地となった。

『西洋紀聞』の中でデンマークは「デイヌマルカ」と呼ばれ、同書第二部の最終部で、対スウェーデン戦争との関連で一度だけ言及されている。けれどもこの戦争は一七一一年に起こっており、既に幽閉されていたシドッチがもたらしたものではなく、一七一二年の風説書中の記事を再現したものだった。

一方、『采覧異言』でのデンマーク記事は、具体的ではあるが、従来の記述を上回るものではなかった。

「デンマークの地はゲルマニア（ドイツ）の西北にあり、民俗はオランダにすこぶる似ている。大砲の制作に抜きん出ていて、西洋諸国が皆それを評価している。（続いて大砲、銃、拳銃などの種類と機能等についての説明があるが略）そのほかに、銅、鉄、錨、纜（ともづな）、瀝青（れきせい）、麻、苧（からむし）、材木類を産出する。」

以上が一七一三年当時の日本におけるデンマーク情報の実情であったが、忘れてはならないのは、情報にアクセスできたのは、ほんの少数の人間だけだったという事実である。

スウェーデン、ロシアを巻き込んで一七〇一年から二〇年まで戦われた大北欧戦争の資金作りにデンマーク東インド会社も荷を負わされることになり、それがために会社は一七二九年に解散を余儀なくされた。けれども三二年にアジア会社が設立され、東インド会社が持っていた独占権を受け継いだ。最初から順風に運ばれて黒字経営ができていたが、それは中国貿易に焦点を合わせていたからだった。さらに一八世紀後半にも一大飛躍をして富の蓄積をした。その裏には、一七七五年のアメリカ独立戦争以来、世界各地で次々と戦われていた大戦争にデンマークが参加していなかったという事実があった。独立戦争時にはフランスとオランダの船が中国貿易から消え、デンマークは中立国の旗を掲げて貿易を代行した。またフランス革命戦争時になると、英仏蘭ポルトガルが参戦していたので、デンマークはほとんどインド貿易を独り占めにしていた。

けれども、お家芸の国の中立政策に基づく貿易は、反面リスクが大きかった。中立を選んだがために間接的に英国の敵を支援することになり、英国と摩擦を生じることがままあった。その結果、一八〇七年には英国艦隊によってコペンハーゲンを砲撃され、進行中だったナポレオン戦争ではフランス側について巻き込まれた。にもかかわらずアジア会社は中国貿易の独占権を保持し、広くアジアでの貿易を継続していた。

一七〇〇年代半ば以降、外国への関心が高まるとともに日本では大型で色彩をほどこされた世界図の制作が相次いだ。その好例が長久保赤水の『改正地球万国全図』で、一七八五年頃に作られた。地球が楕円形に描かれ、彩色してあり、デンマークのユトランド半島に「紅毛」と書いてある。それは普通オランダ人のことだった。これは版画だったが、オランダ事情に詳しかった司馬江漢は銅版画の技術を使って一七九二年に『地球全図』という世界図を作成した。銅版画によって細部の表現が可能になり、情報力が増したとともに、それまでは世界図の周囲に描かれていた説明を独立させて、『地球全図略説』として翌年に刊行、そこでデンマークについてごく簡単な紹介をした。
デンマークを総合的に紹介した最初の地理書は、一七八九年に六巻本で全十七章の大著として発行された朽木昌綱の『泰西輿地図説』、略して『泰西図説』だった。かなり正確で信頼のおける情報ゆえに、江戸時代を通じて基本図書となったものである。その第十章がスカンディナヴィアを扱っており、デンマークの記述がある。穀類、牛馬を産し輸出に当て、住民は「武勇」に長じ、「武」に徹することで「乱」を避けている、とデンマークの特徴を上げた後、国の地理的条件を詳述し、植民地他の属領を列挙している。第一五章にはさまざまな地図が取り上げられているが、デンマークもその全体が拡大した部分図に分けて示されていて、主要都市はもちろんのこと、小さな島までがカタカナで名を与えられて紹介されている。本書には、全体が俯瞰できるように、部分図を統合して再現した図版を掲載する（図2）。

新井白石の『采覧異言』に魅せられ地理を専攻した蘭学者山村才助は、一八〇七年に三十七歳の若さで亡くなった俊英だった。一八〇三年に『訂正増訳采覧異言』を完成したが、生前に刊行されることはなかった。おびただしい数の中国語ならびに西洋語の図書を参照して書かれており、実際には新著と言ってよい偉業は次々と書写されていた。デンマークの項では国王の系列ならびに戦争を軸にしながらデンマークの歴史が概観され、デンマークの地理も略説され地図も載せられている。国の説明には、デンマーク人の気質についても次のような解説が付されていた。

図2　デンマーク地図
（朽木昌綱『泰西輿地図説』1789 より）

「この国の人々の気質は善良で、かつ極めて勇猛、格物窮理の学問を非常に好んでいる。また、船舶を海上に操って諸国と通商し、国王はソンドと呼ばれる港で「海船ノ利」をおびただしく得て巨大な富を収めている。今の国王はクリスチャン第六世である。」（筆者訳）

「海船ノ利」とは、スウェーデンとデンマークの間のソンド海峡が狭まっているエルシノアの港で、通航する船から税金を取っていたことを指す。エルシノアのハムレットで有名なクロンボー城には威嚇するための大砲が備え付けてあった。

クリスチャン一世から六世までの治世の年代と主だった事件が記録されている中、クリスチャン六世（一六九九―一七四六）についての記事は特に詳しく、最新の情報を提供して面目躍如たるものになっている。コペンハーゲンの美しい港とよく整備された町の様子も描写され、国王の三つの城、「武庫」、町の「外郭」、「円形ナル司天堂」などが紹介されている。そのすべてが現在でも残っているため、観光案内でも読んでいるような錯覚にとらわれる。「円形ナル司天堂」は、クリスチャン四世によって建てられたいわゆるラウンドタワーで、その屋上に天文台がある。前述のティコ・ブラーエが造ったものだが、この世界的に有名な天文学者、「天学師」についても、山村は詳しい注をつけている。

ちなみに、西洋史の分野でも山村は『西洋雑記』（一八〇一）を著している。主としてオランダ語の文献を数多く渉猟して西洋史の逸話を集めたもので、一八四八年になってようやく出版された。

デンマークとの関連では、山村はなんとデンマーク語を含む西洋諸国語の相関関係に着目していたのだった。単に知識を集めるだけの「もの知り」の段階を超え、「ものの道理」を究める組織的で科学的な視点を備えていたのである。

注　三十年戦争：ドイツとスイスでの宗教改革による新教派とカトリックとの対立の中で展開された最後で最大の宗教戦争で、神聖ローマ帝国を舞台として一六一八年から一六四八年までヨーロッパ各地で戦われた。

第2章　デンマーク人の進取の気性と日本との接点

西の英国を含め北欧の広範囲を中世に征服したバイキングを例に取り上げるまでもなく、四方を海に囲まれて暮らしていたデンマーク人は勇猛で剛健、航海術に優れ、進取の気性に富んでいた。外の世界に抱く好奇心と冒険心がすこぶる旺盛だったのである。

十五世紀半ばに始まった大航海時代を経て世界の海に航行が可能になってからは、富を求めてデンマークは西アフリカ、西インド諸島、さらには前章で見たように東インド、アジアの海域にも進出していた。オランダ東インド会社に海防をまかせて日本は鎖国をしていたが、オランダの勢力が弱まるにつれて、日本への接近を試みる国が出てきた。

スパンベア

その端緒が北から日本を訪れたロシアだった。一七三九年、ヴィトゥス・ベーリング探検隊の副官マーチン・スパンベア（一六九八頃―一七六一）が仙台沖に現れ、鎖国日本に警鐘を鳴らした。スパンベアは慎重で、上陸はせずに艦上で日本人と交渉を持った。ところが言葉が通じなかったために、ロシアから来たことさえ説明できず、日本では単に「唐人」（外国人）と見なされたが、日本の漁師に渡された硬貨がロシアのものだと知った長崎のオランダ商館は驚愕したのだった。スパンベアは、ロシアに雇われたデンマーク人だった。さらに探検隊の長官べーリングも、同じくロシア海軍に勤務していたデンマーク人だったのである。

今でこそ、そうした事実を把握したうえで、スパンベアが日本を訪れた最初のデンマーク人だという通説が流布しているのであるが、当時はただの「唐人」もしくはオランダ人、やがてロシア人だと見なされるに至ったスパンベアが、日本でようやくデンマーク人として認識されたのは、明治になってからだった。

一七〇〇年にバルト海の制海権をめぐってロシアとスウェーデンとの間で勃発した北方戦争は、周囲の国々を巻き込んで紛糾していたが、二一年にロシアの勝利で終結した。以後、ロシアは東方への拡張を始め、その一環としてべーリングが二度の探検を行うことになったのである。一度目が、アジア大陸と北米大陸が切れていることを自ら航海して実証し、その海峡にべーリングの名がついた一七二五年から三〇年までの探検。二度目の探検は大規模で、一七三三年から四二年まで実施され、カムチャットカとオホーツク海のみならず、白海から東シベリア海に至るユーラシア大陸北岸の測量をすることだった。この探検は困難を極め、ベーリングは、アラスカへの旅から帰る途中でアリューシャン諸島の孤島で没した。その島はベーリング島と呼ばれている。

ベーリングが北太平洋を航海していた間、スパンベアは日本への航路を見つけ日本の島々を偵察するために南下することになっていた。その目的のためにスパンベアはオホーツクで船を三隻用意した。ロシアの首都聖ペテルブルグの政府からの指令でスパンベアは、千島列島にいくつの島があり、そのどれに人が住み、どこからが日本なのかを調べることになっていた。要するに、千島列島中のどこに日本とロシア間の国境線を引くのがふさわしいかを探るのが使命だった。千島列島からさらに南下して日本列島に達し、日本の政体に関する情報を集め、通商和親関係を結ぶ可能性があるかどうかを調べることも任務の一つだった。鎖国中の日本に関する情報が乏しかったため、そのほかにもスパンベアには多岐にわたる細かい指示が与えられていた。

スパンベアは一七三八年、三九年、四二年と三度日本行きを試みた。三八年六月に三隻で千島列島沿いに南下した時は、途中で食料が尽き、濃霧のせいで進めなかったため、八月に引き返した。

冬の間に小型船ボルシェレック号を建造し、翌年五月、今度は四隻で日本へ向かった。途中僚船が艦隊から離れてしまうがスパンベアは航海を続行し、六月一六日に陸地を発見、ボルシェレック号を陸に向かわせた。この船は、気仙沼の大島で目撃されたと日本の記録に残っている。一八日にスパンベアも陸に近づき、日本の村を目にする。翌日には日本の船が二隻近づいてきて、上陸するように手招きしてきたが、言葉が通じない。翌二〇日の朝、スパンベアはさらに岸沿いに船を走らせた。警備の日本船が集結してきて十九隻にもおよび、不意に襲われることを恐れたスパンベアはその場を離れた。仙台湾網島の舟渡での邂逅だった。

スパンベアはゆっくりと航海を続け、二日後の正午過ぎに錨を下ろした。仙台の町からあまり遠くない荒浜の沖だった。スパンベアが日本人と交渉を持ったのは、報告書によればこの日である。日本人の漁師がやってきて船に上がった。ヒラメなど大小の魚を持ってきてくれたので、乾杯した、と記録されている。さらに日本人が小舟に乗って次々とやってきて野菜などを持ってきたので、お礼に贈り物をした。こうして船の乗組員との間に物々交換が始まった。船を訪れた日本人の中に、一目で高貴な人物と思われる者がいたので、スパンベアは彼にロシアの銀貨を与えた。けれども、日本人の用心深そうでいて開けっぴろげな好奇心には警戒心を呼び覚ますところがあったため、スパンベアはその場を離れることにした。二五日にロシア船は北東に進路を取り、網島の西の田代島、三石海岸の沖に停泊した。そこで、その地方の役人と見える若い日本人の訪問を受けたが、スパンベアが連れてきていた通訳は一人も役に立たなかった。意思の疎通ができない上に、いきなり七十九隻もの小舟に取り巻かれ、スパンベアは危険を感じた。同日のうちに田代島を去り、牡鹿半島を回って金華山を通過、途中、山川海岸の小村で水を補給し、海上でアンコウを捕って食料の補充もしてから千島列島を目指して北へ向かった。色丹でもう一度水の補給をし、国後へ向かった後でさらに進路を南西に取り、北海道の沿岸を航海してから引き返し、カムチャットカを目指して北東に航路を定め、千島列島沿いに航行した。その結果としてスパンベアは、千島列島の位置と、日本への航路を確かめることができたのだった。

任務はそれで果たせたかに見えたが、聖ペテルブルグの政府は、日本沿岸に達していながら上陸しなかったスパンベアの交渉の成果とその報告に疑問符をつけた。そのため、スパンベアは一七四二年に三回目の日本行きをせざるを得なくなるのだが、これは失敗に終わり、ついに日本へ達することはなかった。

ちなみにスパンベアは、将来日本とロシアが千島列島の中間に国境線を引く必要がある時には、北方領土四島の北に位置するウルップ島と、そこからさらに北のかなり海域の離れているシンシル島との間を選ぶのが妥当であろう、としていた(注1)。

日本側資料にみるスパンベア来航

以上はロシア側の史料をもとにスパンベアが仙台沖に達した概略を記述したものだが、日本側の史料は大きく分けて三種類ある。

1　仙台湾沿岸の人々の当時の報告と仙台藩の役人の報告書

2　その後にスパンベア一件を取り扱った江戸ならびに長崎での公文書

3　欧文各種文献に見られる後代のスパンベア関連記事の邦訳

スパンベアが日本への航路を見つけたというニュースは、聖ペテルブルグに達した後ヨーロッパに広まり、オランダ人の耳にも届いた。日本と独占貿易を行っていたオランダはその情報をバタヴィアのオランダ東インド会社に伝えた。それがさらに長崎で確認されるに至るのであるが、当然のことながら、あくまでもロシアの動向として捉えられていた。

日本側の史料で最も重要なものの一つは、1の『元文世説雑録』巻二十ならびに巻二十一である。巻二十は、「奥州仙台異国船之沙汰」以下、箇条書き風に書かれた報告がほぼ日付順に並んでいる。太平の徳川時代、スパンベアの船とは知らない日本人が、異国船到来に警鐘を鳴らして慌てふためく様子が、仙台肴町の役所の反応から漁師たちの反応に至るまで、記録も感想も雑多に集められ、生の声として収録されている。(注2)

記録魔と呼ばれてもおかしくないほどの徹底ぶりで、目撃したこと観察したことが事細かに書き記されているが、報告の信憑性は疑われていない。仙台藩の兵士が動員され、どの指揮官が何名の兵士を連れて何日にどんな武器を持ってどこへ出発したかが記録され、まさしく「大混乱に御座候」だった。

中国船ならば筆談ができるだろうと思いつつ船に近づくと、髪の毛の長い男たちが乗り組んでいて、きっとオランダの船に違いないと推測する。ロシア船に招き入れられて、鯛やヒラメと交換に貨幣を受け取った漁師が肴町の役所に呼ばれ、船が頑丈で少しも揺れなかったこと、船員たちはみな背丈が六尺もあったと報告して、貨幣を差し出した。

ロシア船はさらに詳しく観察され、三隻の船の大きさはもちろん、帆の材質や大きさ、その操作の具合、マストの高さまで記録された。船員たちはオランダ人を思わせる風貌をしていて、髪が紅くて乱れ、帽子をかぶり、尖った鼻、明るい色の目をしていた。中に首領と見られる人物が、赤いウールの服を着ていた、と記述されているが、これが恐らくスパンベアで、彼を描写した文章はこれのみである。

「黒パン」のようなものに「バター」らしきものをつけて食べ、ガラスもしくは金属の容れ物で赤い「ワイン」を飲んでいるところが観察され、ロシア人は日本の煙草を好んだことも記されている。船には小型の大砲も備えられていた。

これら三隻の異国船と接触する場面を想定して仙台藩は相当な兵力を動員した。それをつぶさに目にしたスペンベアは、危険を感じ、錨を上げて仙台湾から逃走したのだった。

なお、『元文世説雑録』巻二十一に添えられている二人の人物図のうち、一人がスパンベアの肖像だと誤って伝えられている。これは史料をきちんと読む能力のない者が広めた誤解であり、スペンベアが仙台湾を訪れていたのとほぼ同じ頃、本隊から離れはるか南の房総半島の太平洋側の小村にたどり着いたイギリス人ワルトン指揮下のロシア船が、水の補給のため、本国の指令に反して乗

図３　二人の人物図
（『世説通記』巻二十、一七三九より）

組員を上陸させた時に描かれた人物図だった（図3）。

最初のうちはただの「唐人」にすぎなかったスパンベアは、日本人と船の上で面会した後、オランダ人と見なされたが、オランダ語を解する者はおらず、中国人らしいまったく頼りにならなかった通訳しか連れていなかったスパンベアは、言語の障壁の中で完全に孤立してしまった。

仙台の役人たちは、言葉ではなく物でスパンベアの身元を確かめようとして、銀貨と日本人に与えられた十字のついたカードを一枚、幕府に送った。どちらにも文字が書いてあるのが見てとれたからである。けれども、それ以前に江戸に送られていたものがあった。仙台湾に異国船が現れたという重大ニュースが、早馬により、参勤交代で江戸に滞在していた藩主松平（伊達）陸奥守吉村のもとに届けられていたのである。数日後に藩主は事の顛末を老中本多忠良に報告し、指示を仰いだ。

江戸には日が経つにつれて次々と新しい情報が入ってきていた。新情報はたまたま江戸に滞在していた長崎奉行萩原美雅に渡された。長崎奉行の扱うべき事件だったからである。江戸には日本人がもらった食べ物も送られてきていたが、長崎奉行はそれがパンであることを確認した。十字がついていたためにキリスト教との関連が疑われたカードと銀貨は、調査のために長崎に送られた。後日返事が届き、カードはトランプ、銀貨は「ムスコビア」つまりロシアのものだと知らされた。銀貨を調べたのは出島オランダ商館長フィッセルだった。ロシア語は読めなかったが、ロシア文字だということはわかったのである。北からのロシア人の日本到来に警鐘が鳴らされたのは言うまでもない。

スパンベアが上陸せずに退去したことで一件落着、幕府は異国船到来をそれ以上重大視しなかった。危機感もまったく持たず、当然の結果として海岸警備を厳重にする手段が取られることもなく、何事もなかったように鎖国状態が継続するのである。

日本は後年、オランダからロシアの拡張政策について教えられる。現実問題として一七七〇年代にはロシア船が蝦夷に来るようになっていたし、八〇年代になると、最上徳内が千島列島の南部と樺太の調査をした。北方から迫ってくるロシアの脅威は、仙台藩の工藤平助と林子平に、それぞれ『赤蝦夷風説考』と『三国通覧図説』という警告の書を書かせるに至ったが、スパンベアの渡来とロシアのシベリア経営一般との関連は見抜けないでいた。

それは、日本と通商関係を結ぶ交渉を行うために一七九三年に松前に渡来したロシア使節ラックスマンによって初めて日本人に知らされた。その間の事情は前野良沢の『魯西亜本紀略』（一七九三）に読み取れる。前野良沢はスパンベアがオランダ人だったろうと推測した。

オランダ医術を学んだ仙台藩医で内外の事情にも詳しかった大槻玄沢は、ロシアに関する先行諸文献を編集し批判的な注をほどこした『北辺探事補遺』（一八〇七）を著した。大槻玄沢は、仙台藩の古い文書を探して関連文献を読み解く過程で、ロシア人が仙台の漁師に与えた銀貨を根拠に、渡来したのはロシア人だったと確定し、スパンベアがオランダ人の船長だったという説を斥けている。さらに、スパンベア艦隊の船の数を割り出そうとして文献を調べ、ワルトンの船が安房を訪れたことに触れ、この船も艦隊に属していたに違いないと断定する。そして、例の人物図に言及し、これがスパンベアだったろうかと自問したうえで、艦隊は安房でしか上陸していないことを理由に否定している。描写された人物がスパンベアではないことを、大槻玄沢は既に一八〇七年の時点で言い当てていたのである。

日本の文献で、スパンベアがデンマーク人だと初めて書き記しているのは、大隈重信が二〇世紀初頭の日本の拡張政策を扱った著書『開国大勢史』（一九一三）の中においてだった。スパンベアはそこでようやくデンマーク人として日本で紹介されたのであり、それまでは仮面をつけたロシア人にすぎなかった。

デンマークを訪れた初めての日本人

一八〇〇年代に入るや、ヨーロッパ人は新しい領土、植民地を求めて世界の海を走り回った。アジア大陸とアメリカ西海岸を囲む北太平洋にも、イギリス他の列国が進出してきた。そんな中、日本との国交を開く交渉をするために派遣されたロシア使節ニコライ・ペトロヴィッチ・レザノフが、一八〇四年九月に長崎に達した。ところが、ロシア使節が日本へ向かっているという知らせは、バタヴィア、出島を通じて長崎奉行、幕府に事前に伝わっていたため、オランダ東インド会社の利益を守るべく行動した商館長の思惑通り、レザノフは幕府からの返答をさんざん待たされた挙句、結局何の成果も得られないまま、翌年四月にカムチャットカに向かって出発を余儀なくされた。

長崎に到達したレザノフの船には、実は四人の日本人が同行していた。一七九三年に江戸へ向かって石巻を出港した船は、激しい嵐に遭遇してアリューシャン列島の島に漂着した。乗組員一六人はロシア人に発見されてオホーツク、さらにイルクーツクに送られた。それから十年が経過した一八〇三年に、数奇な年月を過ごし一三名に減っていた日本人を故国に連れ帰す決定がなされ、一行は聖ペテルブルグに移された。途中で病気になった者三名を除く一〇名のうち六名がロシア残留を望み、残りの四名が鎖国中の日本への帰国を希望したのだった。レザノフの意向は、漂流民を連れて行き、友情と好意の印とすることだった。この四名が、一八〇三年の夏、日本への長い航海の途上でコペンハーゲンにひと月ほど滞在した。そのうちの一人はコペンハーゲンの町を歩き回っていたと伝えられているが、デンマークの記録には残っていない。これら仙台藩の漂流民が、デンマークを訪れた初めての日本人となった。

一八〇五年にレザノフが日本を離れる前に、彼らはようやく長崎奉行に引き渡されたが、それまでの間、故国を目の前にして上陸できない精神的抑圧に耐えられずに自殺未遂の行為に出る者がいた。さらに仙台藩の使者に引き渡されたのがそれから半年たってからで、長崎に一四か月も引きとめられていたことになる。けれども、踏み絵をした後に、ロシア情報に飢えていた長崎奉行の尋問があり、国元に向けて出発したのは一二月になってからだった。

翌年二月、江戸の仙台藩邸において漂流民たちは仙台藩医で当時の蘭学界を代表する学者であった大槻玄沢の調べを受けた。その結果が翌年に発行された全十五巻に及ぶ『環海異聞』で、ここに世界を一周した初めての日本人、デンマークを訪れた最初の日本人の記録が残された。彼らの語ったコペンハーゲンに関する情報は乏しく、大槻玄沢の記述も、聞き書きというよりも注釈に近いものだった。四人のうちの一人で最年少だった太十郎という者は、コペンハーゲン寄港中に町に出ていたと伝えられているが、彼は長崎で精神に異常をきたしており、話を聞くことがかなわなかったと大槻玄沢は遺恨の意を記している。『環海異聞』はいわば公式の記録であったが、それ以外に、調べに立ち会ったと思われる者たちの書き残した記録が残っていて、それにはいずれも、コペンハーゲンの港には娼家が数多くあり、遊女が多数船にやってきていた、とある。漂流民たちの記憶に鮮やかに残っていたコペンハーゲンの印象は、『環海異聞』からは払拭されていた。

日本の港を初めて訪れたデンマーク船

一六〇〇年代には華々しく発展していた日蘭貿易も、一七〇〇年代を通じて下降線をたどるようになり、長崎出島に入港するオランダ船の数が減っていた。

世界に目を転じると、一七七六年のアメリカ独立宣言、一七八九年のフランス革命の余波を受け、オランダでも、二百年続いたネーデルランド連合国が一七九四年に崩壊した。バタヴィアとオランダ間の航路がイギリスによって断ち切られ、やがてナポレオンが登場して、紆余曲折があった挙句にオランダが独立を取り戻すなど、一八〇〇年代の初頭、世界は荒れていたが、こうした事情が鎖国日本に知らされることはなく、日本人は、長崎を通じて注文した品物が届かないのを嘆くばかりだった。

ナポレオンの登場後、東アジアはそれまでの交易の場から植民地の候補地に変貌していた。オランダは、東アジアにおける地位が弱体化していたために、一時期フランスと組んでイギリスと対抗していたが、ナポレオン旋風が収まった後の世界で、海上の覇権を手中に入れたのはイギリスだった。オランダは東アジアでの特権的立場を失いつつあった。「番犬」の役を務めていたオランダが失墜すれば、いずれ幕府の鎖国体制が崩れることは目に見えていた。

危機意識は出島のオランダ商館にも押し寄せていた。日蘭貿易再興のためには、オランダから日本へ輸出される物資とそれを運ぶ船を確保しなければならない。世界の海におけるオランダとイギリスの敵対関係は激しく、オランダ船の長崎到達は一七九七年から一八〇七年までの間にたった一隻のみになっていた。そこで発案されたのが、中立国の傭船を使って貿易を継続することで、その一隻としてデンマーク船スサンナ号が一八〇七年の七月にオランダの旗を翻らせて長崎に入港した。これが日本の港を初めて訪れたデンマーク船だったが、提出された風説書にはそのことは伏せられていたため、日本人が知ることはなかった。ナポレオン戦争期の世界で、デンマークは賢明にも中立の立場を活用して盛んに海運を行っていたのである。

これはデンマークの船の話であるが、それ以前にも、オランダ東インド会社の船に乗り組んで長崎を訪れていたデンマーク人の船員がいた可能性があるのだが、記録が不十分で確証はない。

ビレ提督

植民地獲得競争が展開していた当時の世界情勢を反映させて、一八三七年にアメリカ船モリソン号が日本と交易関係を開きたく浦賀を訪れたのだが、砲撃されて撃退されてしまった。それ以前にも、ロシア船が北から来航するほかにイギリス船が浦賀に入港したことがあり、その対抗策として幕府は一八二五年に異国船打払令を出していたのだった。

デンマークも一足遅れて東アジアに使節を送り、新時代への対応に着手した。その一環として、一八四五年から四七年にかけて、スティーン・ビレ提督（一七九七―一八八三、図4）率いるガラテア号による世界周航が挙行された。海洋地理学的事業以外に、イギリス東インド会社に売却されたデンマーク・アジア会社の有終を飾るべく、東アジアにデンマークの国旗を翻し、中国では新たに任命されたデンマーク領事を無事に就任させるなどの任務を負っていた。

図４　ビレ提督の肖像
（デンマーク王立図書館所蔵）

中国は一八四二年にアヘン戦争に敗れ、イギリスの要求に応じて開港を余儀なくされ、次の標的が日本に定められるようになっていた。こうした激動する東アジアの政治・経済・外交・軍事全般にわたる渦巻きに影響され、ビレ提督は、デンマークが国としてはいまだかつて訪れたことのない日本に寄港する事を独自に決意し、一八四六年八月に浦賀沖に達したのだった。世界中に及んでいた植民地獲得競争に遅れてはならなかった。

ビレ提督指揮によるガラテア号の日本訪問は、ごく短時間であったとはいえ、それがとにもかくにも日本・デンマーク外交史の第一ページを飾る出来事であり、デンマークの国旗、赤地に白十字のダンネブロが史上初めて日本人の目にとまり、素描されて公式記録に記されたのだった。ビレ提督は艦上で直接に日本人と交渉を持ち、その印象を書き留めている。これによって、それまでは先行文献からのいわば「引用」にすぎなかったデンマークにおける日本観が、直接体験をもとにした広義の「翻訳」に質的変換を遂げることとなった。以後のデンマーク人による日本記事は、ビレ提督の『ガラテア号世界周航記』中の日本印象記抜きに語られることはなかった。

ビレ提督はデンマーク海軍の出世街道をまっすぐに歩んだ逸材で、ガラテア号世界周航の翌年、一八四八年の対独戦役の折に勇名を馳せた。戦後は実務能力を買われて政界入りをし、やがて海軍大臣に就任、デンマーク海軍の増強に力を入れた。ビレ提督は威風堂々、厳格な人で、後進には好かれていないようだったが、教養もあり、何事にも積極的な優秀な海軍軍人だった。一八六八年に現役を退いたものの、一八七三年、後述する岩倉使節団がコペンハーゲンを訪問した折には、当時七十四歳のビレも歓迎会に出席している。

一八四五年、中国各地を訪れてデンマーク領事が無事に事務を開始できるよう諸条件を整えていたビレ提督は、デービス英国香港総督をはじめとする列強諸国の外交官たちから極東の情勢に関する最新情報を収集していた。その結果、既に開市開港をしていた中国において列強に遅れを取らぬようにというデンマークの国策を、北からも南からも来航して列強が開国を迫っていた日本においても応用し、取り残されないようにすべく機転のきいた即断をしたのだった。そして、当初の中国からハワイへ直行する計画を変更して日本に寄港することになったのである。幸いなことにビレには、世界周航途上、状況次第によっては計画を変更しうる委任状が国王から与えられていた。

一八四六年八月にガラテア号が江戸を目指して浦賀沖まで達したその三週間前、アメリカ東インド艦隊司令長官ビッドルが、同じ浦賀に九日間停泊、日本側と交渉の機会を与えられずに去ってい

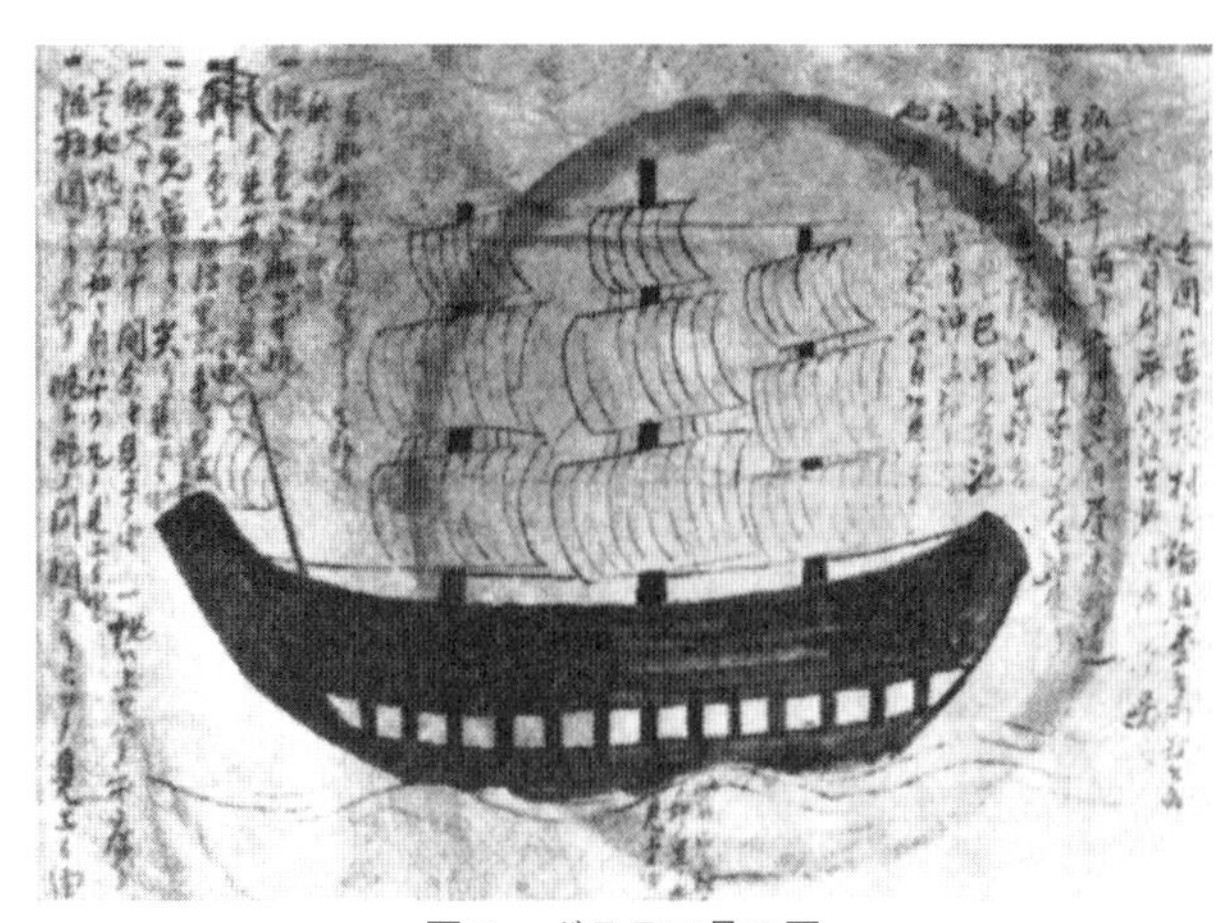

図5　ガラテア号の図
（『田原町史』中巻、一九七五より）

た。デービス総督は、日本に艦隊を率いて行く示威行動を、広東の情勢不安のために取り止めたが、フランスのセシル提督は日本に向かっていた。そうした列強の動きの中、ビレ提督は、規模は小さいながらも同じ黒船のガラテア号が、軍事的にも江戸で一役買えるのではないかと予測していたのである。

ガラテア号は黄海を横切って航路と海域の観察等を行いながら大隅海峡を抜けたが、古い海図しか用意しておらず、土佐以西の記録しかなかった。江戸湾に接近するという目標を遂げるためには、日本の海岸に沿って航海しなければならなくなったのである。北東に進路をとっての航海中、暴風に襲われたが、天気が回復した時点で陸の方に向かった。ガラテア号の方位測定によれば、遠州灘沖浜名湖南の海上に達した後、さらに陸に近づいた。ところが、ガラテア号には陸からの目撃者があり、その地点は田原藩赤羽根沖だった。デンマーク語版の拙著が発刊されるまで、その黒船がガラテア号だったことは日本では知られていなかった。『田原町史』に収録されている史料には、赤羽根の番所から望遠鏡を通して見たことが暗示されて円が描かれ、そこに黒船の図が写されている報告がある。陸を目指して直進していたガラテア号が方向を変え、砲門を開き黒い備砲をのぞかせて船腹を向けたまま東に向かったところが、すかさず図に写されたわけである（図5）。

その二日後、ガラテア号は相模湾中鎌倉沖に停泊していた。そこから三浦半島を回っていくと、陸から舟が何艘もやってきて、やがて武装した舟に呼び止められた。そこには隊長と目される人物が乗っていて、お供を大勢連れてガラテア号に乗船してきた。こうして史上初めて、日本人がデンマーク人に公式に接触したのだった。従って詳細な記録が残っている。隊長は川越藩士橋本深美で、浦賀奉行所のオランダ語通詞堀達之助を同行していた。

こうして交渉がなされ、到来の目的、航路などの情報が集められている間、川越藩の兵士たちは、ビッドル艦隊来航時の取り扱いと同じく、ガラテア号に乗船して能率よく船の規模と装備、武器の種類と数、兵員数に至るまで把握していた。ビッドル司令長官がやってきていたことを通詞から知らされ、アメリカ艦隊の訪問の成り行きと結果を聞いたビレ提督は、交渉がだらだらと長引くことに疲れ、暴風にも悩まされていた。船の周囲を多数の警備の小舟に囲まれ、誰ひとり上陸を許されなかったため、ガラテア号は浦賀沖に錨を下ろすことを断念し、直ちに湾外に出てハワイに向けて出発することにしたのだった。レザノフが長崎でどんな屈辱的な処遇を受けたかを、ビレ提督は熟知していたのである。

ビレの来航は、歴史的には言わばビッドル来航の二番煎じにすぎなかったが、ビッドル艦隊もビレ提督のガラテア号も黒船であり、ペリー来航の七年前の出来事だったことに留意すべきである。ペリー艦隊の規模ははるかに大きく、日本人を威圧したのはもちろんであるが、開国交渉のために黒船で日本を訪れたのはペリー提督が初めてではなかった。さらに、ほんの短時間だったとは言え、ガラテア号の艦上で日本人と接したビレ提督の印象記は、文化交流史研究の貴重な史料となっていることを忘れてはならないだろう。(注3)

ビレ提督は日本人と邂逅したことで多岐にわたって強い印象を受けていたが、なかでも驚かされたのは、身分の低い船乗りや兵士にまで行きわたっていた慇懃さと礼儀正しさだった。それこそ国民の文化的レベルの高さを物語っていたと言えよう。ビレ提督は次のように書いている。

「彼らの一つひとつの動作に威厳と品格があり、好印象を与えた。それでもその挙止挙動には瑕の生じる時があって、あまりの生真面目がかえって滑稽に映り、われわれを思わず笑い出させることがあった。特に、違った小舟から別々に集まってきていた一団が、艦上で挨拶を交わしあった時がそうだった。お互いに深くお辞儀をしてから、腰をかがめてひざまずき、頭を低く前に倒したので、小さな髷が風にかすかに揺れているのが見えた。その姿勢のまま、次にまた頭を上げるまで何秒間もじっとしていることしばしばだったのである。見ていてすぐにわかったことだが、そうして上司と思われる相手が頭を上げるのを待っているのである。滑稽だったのはもう一つ、船酔いを隠そうとしていたことだった。いくら我慢はしていても、船酔いの不可避な影響がやがて胃に現れる。そのときの極めてきまり悪そうでみじめな顔といったらなかった。」（筆者訳）

ビレ提督は、対面した日本人の隊長についても、「教養があり、背の低い人だったが、均整がとれていて賢明高貴な顔をしていた」と記し、「何度もなんども手ぶり身ぶりで説明を繰り返していたが、それがはなはだ品格威厳のあるやり方で優美さそのもの、私はその分かりやすさが羨ましくなってしまった」と感嘆させられていた。そして隊長の服装と所持品、武具と武器を細かに描写し、清潔さと美しさ、豪華さと上品さを褒め称えている。

これは文章による記録だが、ガラテア号には二人の絵描きも乗り込んでいた。一人は島影をスケッチし、帰国後に地図を作成するときの原画を提供した画家で、もう一人は寄港地の先々で風俗、人物等をスケッチしていた画家プラムである。興味深いのは浦賀沖でプラムの描いたスケッチである。その日プラムは、強い風雨、高波の海上でごく短時間しか日本人に接することができなかったのだが、それでも鉛筆によるスケッチを二枚残している（図6）。

そのうちの一枚には同一人物と思われる侍の正面からの顔と横顔が見事にリアリスティックに描かれ、もう一枚には刀二本を差した袴姿の侍が腰かけている図がこれも同じく鉛筆書きで残ってい

図6　プラムの描いた日本人のスケッチ二枚
（クロンボー城、通商海運博物館所蔵）

図7　日本人の肖像
（Steen A. Bille: *Beretning om Corvetten Galatheas Reise omkring Jorden 1845, 46 og 47*. København 1849-51 より）

る。ビレ提督の印象記には、それをもとにして作成された銅版画がイラストとして挿入されているのだが、これは実物のモデルを写したものとはかけ離れた、想像力を働かせ再構成したもので、興味深い。髪形、肩衣の模様と襟の具合、大小の刀の太さと差し位置に注目していただきたい。右端に漢字らしき筆跡があるが、描く不正確な字で、というより字を真似て「金澤敬二（ママ）郎藤原為副」とある。日本側の史料によれば、浦賀奉行所の同心川越藩の金澤敬次郎（ママ）がガラテア号に乗船した記録が残っている。この人物こそ、デンマーク人の手によって写生され描かれた日本人の嚆矢である（図7）。

ちなみにガラテア号に二番乗りした浦賀奉行所の与力中島三郎助は、幕末になってから浦賀造船所の建造主任となり、後に榎本武揚とともに五稜郭にこもってついに戦死を遂げている。また通詞を務めた堀達之助は、ビレ提督との交渉の際、オランダ語がうまく通じないのを痛感し、徐々に英語を習得して七年後のペリー来航時に活躍した。世界の趨勢が英国主導になっているのを身をもって実感し、決断の上に英語に方向転換をしていたわけだが、幕府はというと、ビッドルはしびれを切らせて退散させ、ビレ提督のときは悪天候に幸いされて退去せしめ、当面の危機が雲散解消したのをよいことに、緊張を解き、ほぼ無防備のままペリー来航に震撼させせられたのだった。

大北電信会社

デンマーク人の進取の気性を日本との接点で語るとき、近代化への道を歩み始めた維新期の日本を当時最新の通信技術であった電信によって世界に結びつけた、デンマークの大北電信会社の日本進出に触れないわけにはいかないだろう。

一八五〇年代半ば、ペリーが来航した頃から、ヨーロッパ・北米間の貿易が増大し、大西洋を電信で結ぶ経済的条件が熟してきた。市場に関する速くて正確な情報を入手することが収益を左右するような環境が生まれつつあったためで、その当然の帰結として大西洋を電信で結ぶ事業に取り組む会社が熾烈な競争を展開することになった。北大西洋、もしくはその正反対のベーリング海峡に電信線を通してヨーロッパと北米を電信で結ぼうという計画が立てられたが、さまざまな困難に遭遇して断念されていた。そんな中でデンマークの企業家カール・フレデリック・ティットゲン(一八二九―一九〇一、図8)が、国際舞台における電信事業を夢見るようになっていた。

ロシアは西から東へシベリアを横断して電信線を伸長しつつあり、バイカル湖のキャフタまで達していたが、中露国境に近いシベリアの真ん中に、未完成の高価な電

図8　ティットゲンの肖像(デンマーク王立図書館所蔵)

信線を当面放棄する形となった。ベーリング海峡を電信で結ぶ計画は挫折してしまったが、ロシアは西周りの国際電信線にも野望を抱き、バルト海からデンマークを経由してプロシアを迂回する形で西ヨーロッパと連結する計画を実行に移そうとしていた。それがティットゲンの電信にかける夢を現実化させる端緒になったのだった。そこには、ロシアのプロシア嫌い、ロシアがイギリスに抱いていた一般的な反感といった、列強諸国間での力関係を意識的に利用し、デンマークのトレードマークともいうべき中立政策あるいは中立イメージを積極的に活用しようという思惑が働いていた。列強間に葛藤が生じても、中立国デンマークの電信線を利用すれば情報網は確保できる。それこそティットゲンが電信事業を遂行するにあたって再三再四取り出して見せた切り札であった。

ティットゲンは一八六九年六月に大北電信会社を設立したが、同じ頃、ロシア政府がシベリア電信線を建設し、清国と日本へ連結する交渉に着手する旨を発表した。その日からティットゲンの熱い視線が極東に注がれ、デンマーク経由西周りの北大西洋線が断念され、東方へ向かう電信線に全力が投入されることになった。

当時のロシアと英国は、中央アジア、東アジアに拡張すべくしのぎを削っていた。ロシアが清国、日本へシベリア経由で北から電信線を延ばすか、それとも、中東からインド、東南アジアに広がる英国植民地を結ぶいわゆる帝国ラインを通じて南から延ばすかの競争は、露英間の代理戦争でもあった。

列強間の紛争の際にデンマークが中立を宣言することで北半球の電信線の安全を守ろうという

ティットゲンの構想は、デンマーク政府だけではなく、アメリカのグラント大統領にも支持されていた。

一大事業を請け負うためのロシア政府との交渉にあたってティットゲンは、デンマーク国王クリスチャン九世の娘でロシア皇太子妃だったダウマー、後のアレクサンドル三世妃の助力を得ていた。そして、外交交渉のベテラン、ユリウス・フレデリック・シッキ（一八一五―八四、図9）を外交官としてではなく民間人として聖ペテルブルグに派遣し、受注者間の激しい競争の中、ティットゲンはついにロシア政府から認可を取り付けたのである。

図9　シッキの肖像
(デンマーク王立図書館所蔵)

ティットゲンはまず、チャイナ・サブマリン電信会社と三十年にわたる提携契約を結び、同社が上海以北に電信線を敷かない代わりに、大北電信会社も香港の南には電信を敷設しないという談合をした。その契約の裏ではデンマーク政府も動いており、イギリス外務省の了解が取り付けてあった。そうしたお膳立てをしたうえで、会社創立以来理事の職にあったシッキを日本と清国に派遣し、電信敷設権獲得交渉に当たらせることになった。

シッキは公使として派遣されたが、その費用はすべてティットゲンが支払った。デンマーク政府は蒸気フリゲート艦トーデンスキョルド号を海底電信線敷設船として提供し、その改装費を特別予算でもって補った。フリゲート艦が選ばれたのは、海底ケーブルの運搬はもとより、威嚇示威の目的があったからである。

一八七〇年三月に特命全権公使に任命され、大北電信会社の理事の職から退いたシッキは、六月に日本に到着し、横浜のデンマーク総領事のもとに逗留した。シッキの任務は、ウラジオストックならびに上海からの海底電信線を日本に陸揚げし、国際電信を開通させる認可を取得することだった。シッキはフランス公使館の通訳デュ・ブスケの助力を得て、寺島宗則外務大輔らとの会談を繰り返した。シッキによれば、出方が予測不可能で立場も姿勢も目まぐるしく変えていたとされる日本側との交渉は困難で、近代化の象徴である国際電信導入に意欲は見せても大北電信会社に与える利権は最小限に止めようとする寺島らとの交渉は難航した。押し問答が繰り返されて白熱化し、シッキもかなり強引になったために、寺島との応酬が激しいものになった。そしてついに、八十日に及ぶ交渉の末、九月二〇日になってようやく約定が締結された。

シッキ来日の目的は、大北電信会社のために電信線敷設および陸揚げ権を獲得すべく日本政府と交渉することであったが、それは公使という隠れ蓑を着て一企業のために行った交渉だった。ティットゲンの仕掛けた巧妙な戦略である。表向きの目的は、日本在留のデンマーク外交官および領事官に関する新規定について報告すること、さらにデンマーク国王から天皇陛下への親書を渡すことだった。天皇陛下への謁見は、約定締結を前にした九月七日になってようやく実現した。

当日は、付添武官を同伴していなかったシッキのためにイギリス公使パークスが六名の騎兵を提供、皇居における謁見は無事に終わった。この機会にシッキは、まだ衣冠束帯姿であった若き明治天皇からデンマーク国王への勅答を授けられ、自らも勅語を賜ったのだが、それは明治天皇睦仁がヨーロッパの君主からの親書に応えた嚆矢となった。(注4)

長崎―上海、長崎―ウラジオストック間に電信線が敷設され、日本の近代化に大きく寄与したことは、単に日本とデンマーク間の事業だっただけではなく、日本が列強間の政治取引に巻き込まれ、列強の「助力」なしには近代化の道を歩みだすことができなかったことを意味していた。寺島が助言を仰いでいたイギリス公使パークスは、シッキとも密な連絡を取っていたが、シッキはイギリスとは利害関係を異にするデンマークとロシアの代表だった。それが外交の現実であった。大北電信会社の日本進出が、東洋において拡張政策を展開していた列強諸国間で戦われていた熾烈な代理戦争の一環であったことを、シッキとの交渉の過程でいまだに経験不足であった日本の外交官たちは学んだのだった。

多少の波乱はあったとはいえ、シッキの対日交渉は比較的順調に進んだ。それは、日本がヨーロッパの発明を導入することに熱心だからであった。日本を訪れた後で清国に渡ったシッキは、当時の清国人を評して、「清国人が屈するのは権力に対してだけである。この、何世紀にもわたって悪習と無謀を繰り返してきた伝統を持ち、根源的に腐敗しきり、狡猾で臆病、残忍で良心のひとかけらもない」と辛辣に語っていた。植民地主義者的傾向をむき出しにしている感想だが、シッキは一一月に清国を出発し、日本でも清国でも購入した美術品を携えて翌一八七一年二月にコペンハーゲンに帰着した。

その後、後述するスエンソンが三月に日本を訪れて電信線敷設事業の最終的調整を行い、長崎に電信局を開設した。トーデンスキョルド号による敷設作業は、ケーブル線に不良な部分があって遅れていたが、香港ー上海線が四月に工事を終了、上海ー長崎線は八月一二日に開通、長崎ーウラジオストック線は、八月末には海底線敷設を終了したものの、シベリア線の工事が遅れていたために、一一月まで待たなければならなかった。極東電信線が正式に全線開通したのは、一八七二年一月一日のことだった。

バルタサー・ミュンター

開国後、「文明開化」の旗印のもと、近代国家を建設する目標として明治政府は「富国強兵」を推進し、軍事力の増強に努めていた。やがて日清・日露両戦争に連勝し、念願の列強への仲間入りを果たした。この急速な軍備増強の舞台裏で、武器商人として活躍していたのがデンマーク人バルタサー・ミュンター（一八三七ー一九三二、図10）だった。

ミュンターは代々聖職や官職についてきた由緒ある家系に生まれたが、軍職を志して十三歳のときに海軍兵学校に進学、成績優秀で十九歳で士官になり、二十一歳で中尉と、早々と出世した。ところが優秀すぎたために上層部と対立する機会が重なり、三十四歳のときに海軍から籍を抜いた。

ミュンターは海戦そのものよりも造船、さらにそこに集約されている技術に興味があった。勇敢な海軍将校になるよりも、海軍関連技術の発展に活路を見つけたかったのである。

海軍を去ったミュンターは、コペンハーゲンの対岸、スウェーデンのマルモーのコックム造船所所長や、イギリスのトムソン社の販売代理人などを経て、四十九歳のとき、イギリスの兵器製造の大手、アームストロング社の中国・日本向け代理人に就任する。デンマーク王室をはじめとする各国の要人との人脈の網の目があり、軍艦関連の技術的造詣が深かったことが雇用の要因だった。

一八八七年三月、ミュンターはロンドンから上海経由で長崎に到着し、武器商人として初めて日本の土を踏んだ。妻ヨハンネと八人の子どもを母国に残したままの赴任だった。四十九歳という、当時では人生の下り坂に差しかかる年齢だったにもかかわらず、異国の地でのミュンターの仕事振りは実に精力的だった。

図10　バルタサー・ミュンター（個人蔵）

日本と中国を往復しながら、各地の兵器工場、造船所、砲撃演習などに足を運び、人脈を広げていった。英語が達者な首相・伊藤博文（当時四十七歳）をはじめ、陸軍大臣・大山巌（当時四十六歳）、海軍大臣・西郷従道（当時四十五歳）などの知己となり、中国では北洋大臣の李鴻章（当時六十四歳）とも面会した。武器の販売だけではなく、各地で要塞建造の相談に乗ったり、艦船の修理の手配をしたりと面倒見がよく、ミュンターは重宝がられ信頼を得ていた。しかし中国では、李鴻章に海軍技師学校の試験官をさせられるなど、さんざんこき使われて、中国嫌いになっていた。

ミュンターは来日ほどなく伊藤博文主催の仮装舞踏会や天皇の園遊会など、各種の式典や行事に招待されるようになった。大倉喜八郎とも親交を結んだ。こうして着々と人脈を拡張しつつ、日本人と日本文化の観察も行い、後に『回想記』（一九一五）に綴っている。

一八九四年六月、アームストロング社との契約が切れたミュンターは、いったん帰国の途についた。「日清戦争勃発」のニュースを聞いたのは、途中、ニューヨークに到着した八月一日のことだった。

七年ぶりの故国でミュンターは、自らが武器を売り、助言を与え、要塞建設などを手がけてきた日清両国の戦いに想いをはせながら、アームストロング社との新規雇用の契約交渉をした。ミュンターが選んだのは、日本一国に限った代理人契約だった。日本には、時間をかけて張り巡らした人脈がある。さらに、いずれ日露決戦は避けられまいとの予測がミュンターにはあった。

一八九五年五月、ミュンターは再び来日した。妻のヨハンネと娘のマルナ、七男のアレクサンダーを伴っていて、虎ノ門の大倉喜八郎の敷地に立派な邸宅を築いた。現在ホテルオークラのある辺りである。

日露間の情勢に関するミュンターの読みは的中し、日清戦争での勝利と、ロシアの脅威により、日本では大規模な軍備拡張が始まっていた。この好機にすべてを賭けたミュンターは、アームストロング社副社長のアンドリュー・ノーブル卿を日本に呼び寄せて交渉の窓口にするとともに、イギリスの特命全権大使として来日したアーネスト・サトウに、帝国海軍への情報提供と口添えを頼んだ。ミュンター自身もその見返りにサトウに情報を与えていたことは疑いがないだろう。

ミュンターの尽力は実を結び、戦艦「八島」「初瀬」、巡洋艦「浅間」など、計六隻の軍艦建造の受注に成功した。さらに、帝国海軍艦船のすべてにアームストロング社の大砲を装備することになり、予備用砲弾の注文も大量に受けた。ライバルであったドイツのクルップ社を凌駕し、いわば「帝国海軍御用達」の座を獲得したのである。

ミュンターの目には、国家間の戦争は、戦闘そのものよりも当時最先端の技術を駆使して装備されていた軍艦と軍艦の性能競争として映っていた。ところがアームストロング社は、ロシア海軍にも帝国海軍に納入したのとまったく同型の最新軍艦を調達していたのだった。同じ軍艦を使って行う競争の結果は、当然ながらそれをいかに活用するかにかかってくる。この点でミュンターは、帝国海軍の海兵が小柄ながらも迅速かつ機能的に砲弾を操作する訓練を行っており、砲術関係乗組員の技術的な面での質と経験においても日本がはるかに優れている、と観察していた。

日露戦争が始まり、開戦から一年あまり経った一九〇五年五月、もはや不可避となった日本海海戦を目前にして、ミュンターははるかヨーロッパのデンマークで日露両軍の戦力を詳細かつ的確に分析していた。戦争の進行と並行して記述され、終戦後に『日露戦争』（一九〇五）と題して発行された大部の著書の中でミュンターは、遠洋航海をしてくるバルチック艦隊の速度が、海戦時には戦艦の速さではなく同行させていた石炭運送船の速度にまで落ちること、一方の日本艦隊は速度が速かったばかりでなく均一であったこと、各種計器の使い方においても日本海軍は非常に優れていた点などを列挙して、帝国海軍の優勢と勝利を、対戦が始まる前に予言していた。日本側の秀逸な作戦も功を奏して、日本海海戦はミュンターの分析通り日本海軍が圧勝した。

最新鋭の戦艦と大量のアームストロング社の武器を帝国海軍に納入したミュンターは、手柄をノーブル卿に譲るかのごとく影の存在に徹していた。大著『日露戦争』の中でも、自分がアームストロング社の代理人だったことにはいっさい触れていない。それが公表されたのは、十年後に刊行された『回想記』においてだった。

ミュンターは、明治日本との関連において多大な貢献をしたにも関わらず、日本からの叙勲もなければ、アーネスト・サトウの日記を例外として諸著名人の記録にも記述が見られない。あえて足跡を残さないように努めていたとしか考えようがないほどの徹底ぶりであった。

しかし、日本での活躍を終えて一八九八年にデンマークに帰国したミュンターは、翌年にデンマーク海軍准将に「非職」として昇格、数日後に解職という異例の処遇を受けている。デンマークの王室決議書には、「国外でデンマーク人の優秀さが認められ、尊敬を集めた功績によって」と昇格の理由が記されているのだが、軍籍のなくなっていた人間をなぜ昇格させたのか。恐らく年金授与のための手配だったのであろうが、在日中に諜報活動のようなことをしていた可能性もあることから、その褒賞がわりだったかもしれない。いずれにしろ、表に出ようとしない謎の多い人物だった(注5)。

デンマーク飛行士の日本到来

日露戦争当時の最新技術は戦艦の細部に至るまで利用されていたが、殺人兵器の開発は日進月歩に進められ、やがて飛行機に注目が集められるようになる。既に第一次世界大戦において飛行機は最新武器として使用されており、それが次の戦争で重要な役割を果たすことは目に見えていた。各国の陸海軍は多大の関心を示して航空技術の発展に貢献し、最新技術の粋が飛行機に注ぎ込まれることになった。

そうした背景のもと、各国の飛行士たちはより速くより遠くまで飛行する記録を出そうと競い合っていた。アメリカの飛行士チャールズ・リンドバーグは、一九二七年にプロペラ機でニューヨークからパリへ飛び、大西洋単独無着陸飛行を達成したが、その前年の一九二六年、コペンハーゲンから東京まで飛来し、復路、所沢飛行場から離陸して東京―ヨーロッパ間の飛行で新記録を樹立したのがデンマークのアナス・ピーター・ボトヴェ大尉（一八九五―一九六四、図11）だった。

それまでもヨーロッパとアジアの間を飛行したパイロットは何人かいたが、みな往路だけ飛行して帰りは船だった。往復飛行を試みて初めて成功したのはボトヴェ大尉である。記録は塗り替えられるためにある。二つの世界大戦の間に実施されたデンマーク軍機の長距離飛行は今ではすっかり忘れられているが、日本とデンマーク両国にとっては、暗い時代にもたらされた看過できない明るいニュースだった。地球の反対側へ飛行するという一大計画には、戦闘機がなしうる破壊行為が

図11　ボトヴェ大尉
（A.P. Botved: *København-Tokio-København Gennem Luften*. København 1926, 1930 より）

いまだによく知られていなかったことも幸いして、技術開発分野への関心以外にもお祭り的な要素が多分にあったのである。さらに、小国デンマークでもできるのだ、という気概を世界に誇示したいという思いが、計画を推進する一大要素になっていた。

一九二四年にボーイスカウト世界ジャンボリーがデンマークで開かれ、日本からも代表団が訪問して交流を深めていた。この大会には、後年日本とデンマーク交流のさまざまな分野、特にデンマーク農業や国民高等学校の普及で活躍することになる日本人が加わっていた。また、翌一九二五年にはアンデルセン没後五〇周年記念祭が、日本でも日比谷図書館や帝国劇場で開催されて、日本とデンマークとの間の絆は一段と緊密になった。デンマーク機飛来はその次の年の出来事であり、両国間の親善がいっそう高められることになったのである。

ちなみに二年後の一九二八年に横浜で在日デンマーク人が集まって日本・デンマーク人友好会が結成され、三〇年には日本・デンマーク友好協会が設立された。

一九二六年三月一六日にコペンハーゲンを離陸したボトヴェ大尉は、ベルリン、ウクライナ、コンスタンチノープル、アレッポ、バグダッド、カラチ、カルカッタ、ラングーン、バンコク、ハノイ、広東、上海、北京、平壌、大阪を経て、所沢飛行場に六月一日に到着した。往路に二か月半も要したのは、途中さまざまなトラブルや驚くべき事件に巻き込まれたからだった。中国では海賊の村に不時着し、破損しただけではなく機体から部品を大量に盗まれるなどして修理をするのに時間がかかった。打って変わって日本滞在中には各地で大歓迎を受け、日本が東洋の文化国であることを身近に体験した後、帰路で見事に世界記録を達成したのだった。六月一五日に所沢飛行場を出発し、大阪、平壌、ハルビン、チタ、イルクーツク、クラスノヤルスク、ノヴォシベリスク、オムスク、ヤルトロフスク、クルガン、カザン、モスクワ、ケーニヒスベルクを経て、六月二三日にコペンハーゲンに到着し、ここでも市民総出の大歓迎を受けた。ボトヴェは即日大尉に昇進した。

同年ボトヴェ大尉は冒険談を刊行し、好評で増刷、三〇年に増補改訂版が出版された。写真も多く掲載され、興味に尽きないエピソードが満載されているのだが、なぜか日本滞在部分の記述が数ページにすぎない。筆者はそれが不満でデンマークと日本両国での記録や文献類も参照しながら、華々しい飛行の全容を追って日本語の図書を刊行した。詳しくは同書を参照されたい。(注6)

注1　詳しくは、長島要一「「元文の黒船」と北方領土　スパンベルグ報告書への関心」毎日新聞夕刊、一九九九年一〇月七日を参照。

注2　『元文世説雑録』巻二十ならびに巻二十一は、全文が『通航一覧』巻百六十七に収録されている。『世説通記』との関係とその誤った紹介については、拙著『日本・デンマーク文化交流史』38-39ページを参照。

注3　詳しくは拙著『日本・デンマーク文化交流史 1660-1873』第四章を参照。

注4　勅答ならびに勅語は、二〇一七年に国立公文書館で開催された日本・デンマーク外交関係樹立一五〇周年記念展で展示された。同展目録『日本とデンマーク：文書でたどる交流の歴史』を参照。

注5　詳しくは拙著『明治の外国武器商人』を参照。なお、同タイトルの電子書籍版（二〇〇七年）では、若干の訂正が施されている。

注6　二〇一六年に刊行された拙著『大正十五年のヒコーキ野郎』を参照。

第3章　デンマークの美術・デザインと日本との接点

デンマーク文化の黄金時代

一九世紀の前半はデンマーク文化が各部門で非常に栄えた時代で、「黄金時代」と呼ばれる。デンマークのロマン主義が一世を風靡した時代でもあり、文学、絵画、音楽、彫刻などの分野で秀でた作品が多く生まれ、現代でも「古典」とみなされるものが少なくない。

文学の領域では、一八〇五年に生まれ七五年に亡くなったアンデルセンがまさにこの黄金時代を生き抜いた作家で、次のリアリズムの風潮への橋渡しをした。実存主義の哲学者キルケゴールも同時代の思想家であった。

彫刻家ベアテル・トーヴァルセン（一七七〇頃―一八四四）も黄金時代を代表する世界的に有名な彫刻家で、その力強い新古典主義の作品には今でも圧倒される。ギリシャ・ローマ時代の古代彫刻のスタイルを復活させ、その白い大理石を使った調和のとれた雄大華麗な彫刻は一世を風靡していた。ちなみにローマで活躍していたトーヴァルセンは、アンデルセンのイタリアを舞台にした半自伝的作品『即興詩人』に登場している。

また、バレエの舞台では一八三〇年から王立デンマークバレエ団を率いていたオーギュスト・ブルノンヴィル（一八〇五―一八七九）が独特なバレエ・メソッドを編み出し、代表作『ナポリ』を初めとして現代にも通じる芸術を打ち立てた。

一七九五年に大火に見舞われ、一八〇七年にはイギリス海軍の砲撃を受けて大破したコペンハーゲンの町を再建すべく活躍したのが、黄金時代の建築家クリスチャン・フレデリック・ハンセン（一七五六―一八四五）で、コペンハーゲン市庁舎（現在は地方裁判所）等、町の主要な建物のほぼすべてを設計し、クリスチャンスボー城ならびに聖母大聖堂の再建も行った。ちなみにトーヴァルセンの彫刻作品を展示する美術館は、黄金時代のもう一人の著名な新古典主義の建築家ビンデスベルにより設計された。

絵画の分野では、王立美術アカデミーの教授クリストファー・ヴィルヘルム・エッカースベア（一七八三―一八五三）を中心に多彩な画家たちが活躍した。ロマン主義の風潮を背景に理想化された風景画が製作されたが、やがて視線が内に向けられ、国民生活を描くリアリスティックな画風が主流となって室内を描写した作品や肖像画が多く描かれた。代表的な画家に風景画のスコウゴー、肖像画のキョプケがあげられる。

一九世紀後半、ヨーロッパでは日本の美術・工芸に対する関心が非常に高まった。その傾向は特にフランスで著しく、ジャポニズムという用語が広まった。既に一六〇〇年代初頭から鎖国時代を通じて、オランダ東インド会社等によって日本の陶器・漆器類がヨーロッパに紹介され、エキゾチックな日本の工芸品は知られていたが、それが開国後に一挙に注目を浴びるようになったのである。一八六二年のロンドン万博以降、日本文化に向けられた熱い視線は主として絵画美術に集中されていくのであるが、エキゾチック日本の典型として取り上げられたのが、伝統的な江戸の文化の結晶であった浮世絵等の色彩豊かな版画類であった。欧米を手本にして近代化の道を歩み始めた日本の実像は脇に置かれ、前近代の美しき「失われた日本」の虚像にすり替えられてヨーロッパ人の日本観が形成されていくのである。日本は、ヨーロッパ人の見たい姿で受容されたわけである。ジャポニズムはまさしくヨーロッパ中心主義の象徴であった。こうした事情はデンマークでも同様で、フランスから一歩遅れて展開されていった。さらに言えば、デンマークにおけるマッセンの日本美術紹介は、デンマーク芸術の「黄金時代」以来主流を占めてきていた既存の画風に対する反旗としても掲げられたのだった。

『日本の絵画芸術』にみるジャポニズムへの憧憬

若き画家として一八七六年にパリを訪れたカール・マッセン（一八五八―一九二九）は、たちまちジャポニズム旋風に巻き込まれ、ゴンクール兄弟の著作を読み、サミュエル・ビングの有名な店を訪れるかたわら、軽妙洒脱で色彩豊かな日本の絵画作品にかぶれていった。さらに、テオドール・デュレの『印象派の画家たち』（一八七八）と『日本美術』（一八八二）を読み、エミール・ギメが日本から持ち帰った美術品に触れたことで、日本に行った経験もなければ日本語もできなかったにもかかわらず、一八八五年に『日本の絵画芸術』をデンマーク語で刊行するに至った。

マッセンは同書の序文で、日本絵画美術の軽みと優美さ、明るい色彩と効果的な画面構成を称賛しているが、同時に、西洋画術の根本にある遠近画法が日本の作品には不在だとする従来の指摘に反論し、北斎を例にとり、画面を塗りつぶすのではなく、線と形、色を巧みに組み合わせて装飾する日本の芸術、自然の現象に反する対称性よりも偶然性を好む心に日本美術の真髄を見ている。自然は日本の芸術にとって最高の美の理想であり、日本人にとってそれは流行でも人工的に編み出された嗜好でもなく、生まれついた本能なのだ、とマッセンは主張し、ジャポニズムの使徒の名乗りを上げた（図12）。

こうして大和絵以来の日本絵画美術の歴史を記述していくのであるが、ジャポニズム自体が日本美術の言わば「引用」であり、創造的ではあっても限定された「翻訳」であったわけで、当然のことながら、「翻訳」にはいつでも伴う誤解と誤訳が付随しており、印象派の絵画もマッセンの著作も例外ではなかった。けれどもその過程で新たに生み出されたハイブリッドは貴重である。同様に日本美術自体も、大和絵から受け継がれた土佐派の絵画の伝統に対し、大陸の中国美術からの「翻

図 12　墨を含めた筆一本で一気に描かれた馬の絵、作者未詳
（Karl Madsen: *Japansk Malerkunst.* København 1885 より）

訳」を通して洗練された水墨画の技術を摂取しつつハイブリッドな作品を生み出していった、狩野派の画家たちが主流を成していくのである。

日本にキリスト教が伝播された南蛮時代を経て、日本の美術は黄金時代を迎えた。やがて土佐派からは菱川師宣が、狩野派からは英一蝶が出て、町人文化の象徴ともなった浮世絵が広まっていく。マッセンは、同時代に活躍した尾形光琳、長谷川等伯、円山応挙の名はもちろんあげているが、それ以外に、ジャポニズムの寵児となった感のある、猿の絵などで有名な森狙仙にも触れている。

マッセンは浮世絵作家として歌川豊国に言及した後で、すぐに葛飾北斎の芸術に紙幅を費やしている。『北斎漫画』の多様性に感服し、飽くことなく実験を繰り返し新たな地平を切り開いていった北斎に脱帽する。北斎の作品には動きがあり、ストーリーがあり、プロットがあった。しかも軽やかで美しく、何よりもユーモアがあった。『富嶽百景』の斬新さ独自性にも言及するのであるが、そこでいきなり、西洋美術の核心である独創性が北斎には欠如していると述べている。あたかも、北斎を神格化していたフランスの美術史家ルイ・ゴンスに異議を唱えたかったようなのだが、この辺りからマッセンの西洋中心主義が浮上してくる。一九世紀の日本美術を扱った最終章の表題に「日本美術の解体と終焉」を選んでいるのを見れば明らかなように、マッセンには、美術史が誕生、発展、死滅の歴史を繰り返すように捉えられている。先行の伝統を否定して次の段階に移る発展史観からは、伝統を引き継ぎはしてもそれを否定し葬り去るのではなく、そこに新たな要素を付け足し、ハイブリッドを作り続けていく日本美術の進展のパターンは見えていなかった。そのために、北斎の『富嶽三十六景』があったからこそ作製された安藤広重の『富士三十六景』には、魅了されながらも西洋の遠近法に無頓着である点を蒸し返して不満を漏らしている。けれども渓斎英泉の作品の優美さを謳い上げ、そこで再びジャポニスムの視点を援用しているのである。

最後にマッセンは、明治維新が日本の伝統を破壊し、日本の若い芸術家が西洋で学ぶようになっていることを嘆くのであるが、そんな中で一人、河鍋暁斎が輝いていることに注目している。そして日本を訪れ暁斎と会ったエミール・ギメに同行した画家のレガメイの記録に依拠して暁斎を描写し、言葉を尽くして北斎以来の天才ぶりを褒め称えた。暁斎は風刺に長け、妖怪などグロテスクな作品で知られていたが、ギメの帰国後に描かれた伝統的な花鳥を描写した作品のことにマッセンは触れていない。けれども、幸野楳嶺の花鳥画には言及し、これでもって日本の絵画芸術は終焉した、と性急に結論している。そして、幕末維新期のけばけばしい色彩の錦絵に嫌悪感を表していたのだった。

日本伝統芸術とロイヤルコペンハーゲン

一七七五年、クリスチャン七世の時代に王室御用達の陶磁器工房として開かれたロイヤルコペンハーゲンは、当初から古伊万里染付けの影響を受けた手描きのコバルトブルーの絵柄を保持してきている。一八八二年にロイヤルコペンハーゲンが実業家フィリップ・スコウの所有となると、アーノルド・クロウが絵柄のデザイナーとして採用されたが、クロウはマッセンの著作の影響下にあり、日本の繊細で装飾的な絵画伝統に共感していた。その結果、クロウがロイヤルコペンハーゲンのために製作した陶磁器類には、日本の伝統的な図柄をデンマーク風に独特にアレンジした作品が登場するのである。日本の動植物がデンマークの動植物に置き換えられ、日本の風景がデンマークの風景に取って代わられてはいるものの、その構図、意匠には明らかに日本の絵画、特に浮世絵からの影響が見て取れる。かすかに緑色のニュアンスを帯びて仄かにグレーの味わいのある美しく光沢のある白い地に、夢見るように鮮やかな紺色が線を描き、面が塗られていく。日本の模様と絵柄がデンマーク風のヴァリエーションとなって現出するのである。クロウは、ロイヤルコペンハーゲンの白い陶磁器をキャンバスとして、日本の伝統的な工芸・絵画をもとに見事なハイブリッドをデンマークで創出した。クロウの芸術的な努力はやがて、一八八九年のパリ万博において、広重の浮世絵に着想を得て製作した花瓶でグランプリを獲得することにより報われた。簡潔で単純な日本絵画のモチーフは、自然のすべてを網羅していて対象を選ばない。なんであれ装飾的に洗練されてリズミカルに再現されている。クロウはそれを見抜いて学んだ。デザインに対する日本人の大らかで優美な姿勢を、クロウはデンマークの環境とデンマーク人の気質に適応させて完成させたのだった。

クロウは、具体的には安藤広重『絵本手引草』などのスケッチ類を参考にしていたことが判明しているが、それ以外にも北斎の『富嶽百景』中の「海上の富士」からもヒントを得た作品を残している。けれども、クロウが参考にしていたのはこれら日本の著名な画家の作品に限らなかった。ロイヤルコペンハーゲンには、一八八九年にパリのビングの店で購入された浅井広信『模様美術便覧』が保存されており、日本の絵柄・文様がインスピレーションの源泉になっていたことが判明する。

これを見ても、色、柄、シンプルなデザイン、いずれも日本の伝統芸術・工芸とのハイブリッドとして完成されてきているロイヤルコペンハーゲンの製品が、現在に至るまで日本人の好みに適っているのがうなずけるだろう。ちなみにロイヤルコペンハーゲンは、二〇一三年にフィンランドのコンシューマー製品会社フィスカースに買収され、タイに工場を持つ世界的企業になっているが、日本市場のみで販売されている製品が若干あることを付記しておく。

デンマークの代表的な画家

●ハンマースホイ

日本人の好みと言えば、デンマークの一九世紀末から二〇世紀初頭に作品を描いた異色の画家、ヴィルヘルム・ハンマースホイ（一八六四―一九一六）の絵画世界が思い浮かぶ。ジャポニズムの洗礼を受けた世代に続いて、あたかも日本の前近代的な伝統への共感をデンマークの中流家庭の室内空間に凝縮したかのごとく、ハンマースホイは、シンプルでほぼモノクロの作品を製作した。画法は黄金時代後期の室内画のように精密で写実的である。画面には、めったに日が差すことのない、もしくは太陽光線が鋭利に切り込むがらんとして色彩を欠く部屋が描かれ、人物もたいてい一人しかいない。それがしかも後ろ向きで、見る者と視線を合わすことは決してない。複数の人物が描かれている場合にも、お互いに視線を交わしてはいない。そしていつもみな必ず無言である。部屋からも物音一つ聞こえてこない。静寂と沈黙が重々しく漂っている。画面が風景であっても事情はほとんど変わらない。天候も曇り空か雨か雪。どんよりと重々しい。

ハンマースホイの人物たちは、ムンクの人々のように叫ばない。じっと沈黙しているのであるが、それでいて饒舌に内的な告白をしている。何も語っていないわけではないのだ。聞こえないだけである。その分、余計に孤独であり、憂愁が深刻である。キルケゴールの思索世界との類似性を見ることも可能かもしれない。ハンマースホイの絵画は、光と影を微妙かつ鮮明に組み合わせた灰色の世界が孤独と憂愁を表現している。そこに美を見たり、詩情を感じたりすることもできようが、ハンマースホイの作品には前世紀末の狂気と絶望、諦観と達見が見て取れるのである。

描かれる風景がデンマークという辺境、場所がコペンハーゲンの小さな部屋、人物が主として彼の妻のみではあっても、表現された世界はヨーロッパ近代文明の裏面であり、その無情で非人間的な現実を生きる人間の世界だった。だからこそ、死後長い間忘却されていたハンマースホイが二〇世紀末に再発見され再評価されてきているのだと思う。ハンマースホイの作品を見て、これこそ北欧デンマークだと思うのは偏見でなければ浅薄であろう。ハンマースホイの作品にはわれわれ全世界の現代人に訴えかけるものがあるのだ。あらゆるコミュニケーション手段を使って言葉を尽くして語っているにも関わらず理解し合えない現代人の状況は、言葉に出せず沈黙のうちに心の内で多く話しているハンマースホイの人物たちと合わせ鏡になっているのである。

二〇二〇年初頭に、東京でハンマースホイの回顧展が開催された[注1]。

●クロイヤー

ハンマースホイとほぼ同時代の画家で、印象派の影響を受けて明るい自然光線をふんだんに取り入れた風景画をユトランド半島最北端の町スケーエンで描いていたのがペーター・セヴェリン・クロイヤー(一八五一—一九〇九)である。画家の仲間たちを集めてスケーエン派と呼ばれるグループを形成し、その代表的存在になっていた。

北海の海に広がる明るく澄んだ青空を背景にして、白い砂浜に白い夏服を着た男女の姿が配置されたり、たくましい漁師たちが描かれたりする。キョプケの伝統を引き継いだ鋭いリアリズムの肖像画の技術は、大らかで清明な自然の中で人生を謳歌しているかのような人物の仮面の奥で苦悩がうごめいているのを見事に捉えている。妻マリーがスウェーデン人の作曲家のもとに去っていった後のクロイヤーの画風は文字通りの黄昏時で、生母から伝わった精神病を発病してからは色調も薄暗くかすむようになっていた。仲間たちと過ごした明るく陽気な日々、幸せそうな哄笑が懐かしく思い出され、やがて消えていく。あとに残るのは沈黙と憂愁のみ。

クロイアーはデンマークを代表する画家として誉れが高い。けれども、スケーエンという土地柄と風景は紛れもなくデンマークには違いないが、当人もふくめてそこに生きた人物たちを画布に塗りこめたクロイアーの作品は、生きて愛して歌って病んで死んでいく人間の喜びと悲哀を凝縮させていて普遍的である。

●ヨアン（ヨルン）

第二次世界大戦期から戦後にかけて、デンマークの美術界に新しい旋風を送ったのが異端児アスガー・ヨアン（本名ヨアンセン、日本ではヨルンと表記、一九一四―一九七三）である。青年時代に共産主義に惹かれていたヨアンは、やがて二〇世紀の抽象画の潮流に興味を抱くようになって絵を描き始め、一九三六年にパリに移ってフェルナン・レジェの門下となった。当初のキュビズムの作風から離れ、太い輪郭線を使ったシンプルなフォルムと明るい色調の独特なスタイルを確立したレジェから影響を受けたものの、ヨアンはミロやマックス・エルンストのシュールレアリズムからもインスピレーションを受けて、独自の画風を追求していった。絵画だけにとどまらず、陶器の彫刻、グラフィックにも着手していたヨアンは、美学、哲学、政治、歴史と多彩な分野に及ぶエッセイを執筆した文筆家でもあった。ちなみにヨアンは、レジェに勧められて読んだカフカの作品を初めてデンマーク語に翻訳したことがあった。

一九四〇年にデンマークの仲間たちと新しい音楽、詩、美術を論じる雑誌を発行した頃のヨアンは、デンマークの表現主義の伝統にのっとった鮮やかな色彩の作品を制作、戦後一九四六年に早々とパリを訪れ、ヨアンと改名して個展を開いた。開放感溢れたパリには広くヨーロッパの同僚芸術家たちと手を結ぼうという気運が高まっていて、コンファレンスまで開かれたのだが、ヨアンはフランス人たちの姿勢に同調できず、ベルギーの詩人ドトレモンと画家のコルネイユ、オランダの芸術家コンスタンとアペルとともに「コブラ」という名称の前衛芸術家グループを結成した。ヨアンのコペンハーゲン（CO）、ドトレモンとコルネイユのブリュッセル（BR）、コンスタンとアペルのアムステルダム（A）を組み合わせた「コブラ」は、一九五一年まで短い期間であったが紆余曲折、多彩な活動を展開した。

五〇年代になるとヨアンは核戦争への恐怖を訴える作品を制作、パリの郊外で家族とともに貧しい生活を送っていたが、栄養失調と結核に悩まされて生まれ故郷のシルケボーに帰り療養に専念した。その後スイスの療養所に移ってからさらにジェノヴァの近くの町に引っ越し、そこで陶器の彫刻を作成した。そして、一九五六年に3×5メートルの「スターリングラード」と題した巨大な油彩画の制作に着手し、七二年に完成した。反戦を訴えるこの作品には、「不在の場所もしくは勇気の狂った笑い」と副題がつけられている。

その間、パリ、ミュンヘン、シルケボー等で次々と展覧会が開かれ、六四年には回顧展がバーゼル、アムステルダム、デンマークのルイジアナ美術館で開催されるなどして、ヨアンの評価が広まっていった。アトキンスがヨアンの作品目録作成に着手したのもこの頃である。

六〇年代後半にスイスでリトグラフの作成にしばらく没頭していたヨアンは、世界の主要都市の画廊で展覧会を催し、名声を高めていった。そして、体調を崩して七三年にデンマークのオーフス病院に入院、五月に亡くなり、バルト海のゴットランド島の教会に埋葬された。

「コブラ」の主要画家として世界的に評価が高いにもかかわらず、日本ではまだあまり知られていないようなので、かなり大まかではあるがヨアンの生涯を紹介してきた。肝心のヨアンの作品は、一言で言うならば色彩の祭典であろう。自由で闊達、純真爛漫な童心が喜びに弾けたかのように明朗で屈託がないのである。それでもどこかで抑制が効いていて、理性と楽天主義が勝利を収めているように思われる。

ヨアンの作品のほとんどは故郷の町シルケボーに寄贈され、現在ではヨアン美術館の名称のもと、代表作が常設されている。けれども、他にも国内ではルイジアナ美術館ならびにデンマーク国立美術館、国外ではテートギャラリーやグッゲンハイム美術館等で若干の作品を鑑賞することができる。(注2)

●キアケビュー(キルケビー)

現代デンマークの美術界の頂点に長く君臨していたのがペア・キアケビュー(一九三八―二〇一八)である。国外でもデンマークを代表する画家として作品が主要美術館で展示され、世界的な名声をほしいままにしていた。

地質学の学位を取得しながら画家の道を選んだキアケビューが、後年デンマークだけではなく外国でも制作したレンガ作りの屋外建造物の下地には、「土」に対する興味と知識があった。二〇一三年に階段から落ちた際の脳震盪が原因で視力が低下して以来、画布から遠ざかり車椅子の毎日を過ごすようになったキアケビューだが、それまでは文字通り超人的な活躍を行っていた。画家であっただけではなく、彫刻家でもあり、グラフィックデザイナー、映画監督、地質学者、詩人で精力的なエッセイストでもあった。休むことなく仕事をしていた芸術家だったのである。キアケビューは、おびただしい量の資料類をすべてヨアン美術館のアーカイブとして納めて亡くなった。

常にヨアンを仰ぎ見てきたキアケビューだった。

大きなキャンバスに魅惑的に調和された色彩空間を現出させているのがキアケビューの絵画の特

徴の一つだが、その装飾的価値が高く評価されて、デンマーク王立図書館の天井や地質学研究所の円形広間を引き立てている。また彼のブロンズ彫刻も、コペンハーゲンのオペラ劇場を初め、ベルリンの連邦参議院などに置かれている。

キアケビューは非常に自意識の強い画家で、美術史全般も周囲の世界も絶えず自己との関係で捉え、解釈し、それをまた繰り返していた。自分の考えること、感じること、自分の仕事、意思、孤独について、自分との対話を続けていた。一地点にとどまることなく、完成を目指すこともなく、立ち止まることなく流転し変貌していた。川の流れは可逆的だが、キアケビューの世界は水が渦巻くように自己を中心にして旋回しているように思われる。これと特定できない形が次々と現われては消え、さまざまに色調を変化させている。そのためにアイデンティティーは確定できない。あるのは変化のみ。生きることそのもののように。

キアケビュー自身が絶えることなく実践していたように、彼の思考も創造行為も絶え間ない解釈の対象にされている。キアケビューの作品の鑑賞者は、音なく言葉もない空間で同様の解釈行為を強いられる。あるのは限りなく美しく時には幻想的でもある色と色の組み合わされた絵画の平面だけである。

ちなみにルイジアナ美術館では、二〇二〇年の春にキアケビューの彫刻を主体とした回顧展が開かれ、画業との関連で彫刻作品の「解釈」がなされた(注3)。

●エリアソン

存命の芸術家で特筆すべきは、デンマークに生まれ王立デンマーク芸術アカデミーで学んだアイスランド人オラファー・エリアソン（一九六七―）である。自然現象や設置する場所の建築物等に応じた大掛かりなインスタレーションで知られている。鑑賞者の意表をつくダイナミックな作品が世界各地の美術館で展示され、各賞に輝いている。二〇一九年にロンドンのテート・モダン美術館で三十年回顧展が開催され、東京都現代美術館でも二〇二〇年の夏に個展が開かれた。(注4)

二つの「人魚姫」像

デンマークを訪れる観光客が必ず見に行くコペンハーゲンの名所が彫刻家エドヴァル・エリックセン（一八七六―一九五九）の製作した「人魚姫」像である。原作のアンデルセン『小さな人魚姫』は、深く読み込めば、奥の深い大人の話が「童話」の形で再現されているのが判明するはずなのだが、改編されて子どもの話として読まれてきており、アニメ版ではハッピーエンドにさえなってしまっている。そうしてさまざまな予備知識と期待を抱いていざコペンハーゲンの港の片隅を訪れてみると、観光バスの列が続く中、ようやく目に入るのが、文字通り小さな人魚姫の像だ。いつも人だかりなのでセルフィーも取れない、まったくの期待外れだ、誇大広告だ、と不満を漏らす観光客が少なくないようだが、「原作」を読んだこともなければ読んだとしても再話もしくは絵本という程度でもって、いきなり大きくもなく色もついていない人魚姫の銅像に臨んだら、肩透かしを食わされたような気になっても無理はなかろう。

「人魚姫」像はエリックセンが一九一三年に制作し、世界的に有名になった。バレエが好きだったビール会社カールスバーグの当時の社長ヤコブセンが注文したもので、エレン・プリスというプリマドンナがモデルになった。けれどもそれは顔だけで、身体の方はエリックセンの妻だったことが知られている。ちなみにこの女性は当時既に三児の母親で、銅像をよく見ればそれが分かるという。そうでなくても「人魚姫」像はキッチュと呼ばれ、何度か首を切り取られるなど被害にあってきた不幸せな過去があるのだ。

図13　王立図書館前の「人魚姫」像

ところが二〇〇九年に、人魚姫の銅像がもう一つコペンハーゲンに現われた。黒いダイヤモンドと呼ばれている建物が異色の、港に面した王立図書館の前に、別の人魚姫が設置されたのだ（図13）。
一九二一年に完成されたこの銅像は、買い上げられた国立美術館で長いこと眠っていた。デンマークを代表する作曲家カール・ニールセンの全集を王立図書館が刊行するにあたり、その妻で彫刻家のアンネ・マリー・ニールセンが渾身の力を込めて造形したこの力作が日の目をみることになった。アンデルセンの作品をふくめ、「人魚姫」は男によって形象されることが常だったが、この「人魚姫」は女性の手になり、しかも結婚生活の危機の最中に制作された。海の底と陸の上、二つの世界に引き裂かれ、不安と期待の入り混じった眼を見開いて陸を仰ぎ見る人魚姫の姿には切々とした感情が込められ、うねってそり返る魚の形の下半身も躍動感にあふれて生々しい。

観光バスが停車することはないようだが、コペンハーゲン中央駅からさほど遠くない王立図書館入口脇で、港を背にして座っているもう一人の「人魚姫」を観賞してみてはいかがだろうか。

デンマークデザイン

デンマークに限らず北欧のデザイン一般に言えることだが、まず「平等」の概念が一貫していることである。制作する者の側は奇異でファンシーなデザインを避け、エリートのための贅沢品を視野に入れることもなく、誰もが使用する機会を与えられる実用性の高い製品を目指している。長持ちし、「シンプル」で、一時的なスタイルやファッションに左右されていないため、北欧以外の文化圏でも容易に受け入れられ、グローバルでアクチュアルなデザインになりえている。別の言葉で言えば、自然素材を使い機能的でシンプル優美なのが北欧デザインで、日常生活を生きる哲学に支えられている。

逆に言うならば、こうしたデザインに彩られたライフスタイルが、ファッションや食べ物に、さらには建築、映画、ミステリーなどの読み物にも反映されているのである。家の中に入ったら靴を脱ぎ、靴下で歩きまわるリラックスした生活習慣は比較的新しいが、使い捨てにせず修理できるものは修理してリサイクルに供する環境に優しい生活ぶりも、北欧デザインにこそふさわしい。

デンマークデザインの基礎は、二〇世紀の前半にデンマーク王立美術院の教壇に立ち、極度な装飾を退け、良質な素材を使い巧みな技を尽くして制作する機能的な家具のデザインを提唱したコーエ・クリント（一八八八─一九五四）によって築かれたとされている。彼のサファリ・チェアーは現在でも生産され親しまれている。

彼とはほぼ同時代人で、PHランプで知られるようになったのがポウル・ヘニングセン（一八九四─一九六七）だった。多才で、PHのイニシアルを使い、デザインだけではなく建築、映画、軽演劇、政治批判と幅広く活躍したが、PHランプだけは不滅の人気を示している。

アーネ・ヤコブセン（一九〇二─一九七一）は、建築家として有名なだけではなく、建築と関連させてデザインした家具が、幾何学的なフォームと優れた機能を備えているためにデンマークを代表するデザイナーとして現在まで高い評価を受け続けている。彼の設計したセブンチェアー、エッグ・チェアー、スワン・チェアーはデンマーク工業デザインの古典と見なされている。

クリントの影響のもとに、ビョーエ・モーエンセン（一九一四─一九七二）がデンマーク生活協同組合（FDB）のために、平均所得者向けの廉価でありながら美しい家具類をデザインした。その主旨は現在まで受け継がれていて、新しい時代のデザイナーが次々と登場し、デンマークデザインの流布に貢献している。モーエンセンの肘掛け椅子、ルーナ・ソファ、ダイニング・テーブルなどは、クラシック家具のステータスを獲得している。

科学者で詩人でもあったピエット・ハイン（一九〇五—一九九六）は、楕円形の幾何学的模様を利用したテーブルなどを設計し、デンマークデザインの普及に貢献した。

椅子のデザインで世界的に有名なのが、ハンス・ヴェウナー（一九一四—二〇〇七）である。デンマークの高度な職人芸を取り入れて数多くの椅子をデザインしたヴェウナーの作品は、美的価値を評価されて各国の美術館のコレクションに加えられるまでになり、まさしく北欧デザイン界をリードする存在だった。ザ・チェアー、Yチェアーが特に知られている。

建築、家具にとどまらず、時計、アクセサリー、日用品の分野でも、デンマークデザインは意匠の多様さと、デザイナーの層の厚さで群を抜いていると言えよう。フライングタイガーコペンハーゲンの製品も、その延長線上にあるに違いない。

ちなみに日本でも、例えば無印良品の製品がデンマークとは特定できないとしても北欧デザインと共通する要素を多分に持っていることは明白であり、またそのために逆に同社の製品が北欧でも好評を得ていると言える。

ほかにも服飾・ファッションにおいても、バイ・マレーネ・ビアガー（By Malene Birger）、デザイナーズ・リミックス（Designers Remix）、ガンニ（Ganni）、セシリー・バーンセン（Cecilie

Bahnsen）など個性的でシンプルなデザインの製品が世界の注目を集めており、靴のエコ（ECCO）も例外ではない。

代表的な建築家

現代デンマークの建築家としてヨアン・ウッソン（一九一八―二〇〇八）とビャーケ・インゲルス（一九七四―）を特にあげておきたい。

ウッソンはシドニーのオペラハウスで有名になったばかりではなく、二〇〇七年、まだ生存中にそのユニークな建築物が世界遺産に登録されるという栄誉に輝いた。海岸ぎわにそびえ、周囲を巡るにつれ外観が変化するように設計されたオペラハウスは、ウッソンの育った町エルシノアの、ハムレットで有名なクロンボー城からインスピレーションを受けたと言われている。海外ではほかにもクウェートの議事堂などの設計で知られているウッソンの建物は、すぐに彼の手になったと分かる独自のデザインで統一されていて、デンマークの誇りとなっている。

若手建築家のホープ、インゲルスは、都会のさまざまな建築物を、意表を突くデザインで提供して話題になり続けてきている。八の字型の巨大なアパート群を設計したかと思えば、水族館、病院、屋上プールなど、美的な単なる容れ物ではなく常に利用者を考慮に入れた実用的な建物の設計に関心を持っており、その意味では、二十一世紀のエコロジーの時代にふさわしい建築家だと言える。

既に世界各地でその土地柄の環境にふさわしい建物を建造し、高い評価を得て各賞を受賞しているが、独創的で革新的な彼は、地球温暖化の進む未来も視野に入れて仕事をしている。

ちなみに日本でも、まさに富士山の裾野に位置する静岡県裾野市にあるトヨタ東富士研究所周辺に、新しいテクノロジーを基盤にする町を設計する一大事業をインゲルスが担当することが決まっている。

注1　ハンマースホイについての詳細は Poul Vad: *Hammershøj* 1990 を参照。
注2　アスガー・ヨアンについての詳細は Troels Andersen: *Asger Jorn – en biografi* 2011 を参照。
注3　ペア・キアケビューについての詳細は Poul Erik Tøjner: *Per Kirkeby – maleri* 2008 を参照。
注4　オラファー・エリアソンについての最新情報は olafureliasson.net を参照。

第4章　デンマークの学術・科学と日本との接点

ティコ・ブラーエの天体観測

日本との接点でデンマークの科学を論じるとき、忘れてはならないのが天文学者ティコ・ブラーエ（一五四六―一六〇一）である。ブラーエは、江戸時代後半の日本において蘭学・洋学者たちの間で最も知られていたデンマーク人だった。数学者本多利明の『西域物語』（一七九八）ではヘイユツ・ポハーリン、山片蟠桃の『夢の代』（一八〇二―一八二〇）ではヘイコツ・ホハーリンと記され、コペルニクスと混同されて紹介されていたが、地理学者山村才助の『訂正増訳采覧異言』（一七七〇―一八〇七）に至って「地谷白剌格（ティコブラヘ）」と漢字に振り仮名をつけて名前が正確に伝えられ、「此国ニテ名誉ノ天学師ナリ」と讃えられた。山村はブラーエが三十年以上にわたって天体の動きの観測を続けていたことに言及し、その天文台の場所が「ウエエン」（ヴェン島）であったことも付け加えている。

ポーランド人コペルニクスの地動説以来、その実証のために天体の動きを計測する必要が生じていたが、群を抜く正確な観測器具を制作し、緻密で根気強い天体観測を肉眼で行い記録を残したのがブラーエであった。ところが彼は、惑星が太陽の周辺を公転し、月が地球の周囲を公転していることは認めても、地球が宇宙の中心であり太陽が地球の周囲を公転していると確信していた。この誤認が彼の限界となったが、観測から導かれた一五七二年の超新星の発見や彗星についての新説は、時代を先駆けるものであった。

デンマーク王フレデリック二世から与えられたヴェン島に建設された天文台には、ブラーエ自らが設計し制作した巨大な観測器具が設置された。ヴェン島は、スウェーデンとデンマークに挟まれた海峡に浮かぶ、コペンハーゲンの北、エルシノアの南東に位置する小島である（現在はスウェーデン領である）。見事な観測器具は現在でも見学することができる。

ところが、観測結果が欧州全体に知れ渡り注目の的になっていたブラーエは、クリスチャン四世と不和になって一五九七年に国外追放となってしまった。幸い、神聖ローマ帝国皇帝ルドルフ二世に招かれてプラハへ移ることができ、そこで新たに天文台を築いて天体観測を続行するのだが、そのときに助手を務めたのがドイツ人のヨハネス・ケプラー（一五七一—一六三〇）だった。

ケプラーは、ブラーエの極めて正確な計測結果を利用して天体の運行法則に関する「ケプラーの法則」を唱えた。これにより地動説が理論的に説明されるに至り、あわせて後の天体物理学の先駆けとなったのである。ブラーエの精密かつ正確な観測結果が存在したからこそ為し得た偉業であったと言える。

オーレ・レーマーの光速測定

現在でこそ当たり前のことのように思われ、誰が最初に光の速度を計測したかなど、興味の対象にもなっていないようであるが、実はこれも、ブラーへの天体観測の伝統を引き継いだデンマーク人、天文学者オーレ・レーマー（一六四四―一七一〇）だった。レーマーは、木星の衛星が木星の影に入る「食」と呼ばれる現象が周期的であるべきなのにもかかわらず、地球と木星の位置関係が「合」（地球から見て太陽と木星が同位置になる）か「衝」（木星が太陽とちょうど反対側に来る）により時間がずれることに注目し、その差を測定することで光の速度を算出した。そして一六七五年に史上初めて光が有限な速度、秒速約二三万キロメートルで伝わることを証明したのである。これは実際の秒速約三〇万キロメートルとは隔たりはあったものの、具体的な数値を割り出した業績はまさしく画期的で、デンマークの誇るところとなった。

レーマーは、コペンハーゲン大学の学生だったときに、ブラーエの観測結果を整理していたフランスの天文学者ジャン・ピカールの助手を務め、ブラーエの記録を学ぶ機会を得ていた。一六七二年にレーマーはピカールとともにパリに移り、九年間にわたって天文台で勤務した。その間、ルイ十四世に雇われてヴェルサイユ宮殿の噴水装置の完成等の仕事にも携わっていたが、光速測定についての論文を発表したのはこの時期だった。

一六八一年にデンマークに戻り、コペンハーゲン大学の天文学教授になったレーマーは、クリスチャン四世がコペンハーゲン市内に建造した円形塔の屋上にあった天文台で、自ら考案した観測器械を使って天体観測を続けていた。天文学以外にもレーマーは、グレゴリオ暦の導入ならびに度量衡の整備に貢献した。

一六九四年にコペンハーゲン大学学長に任命され、以後、当時は任期一年だった学長職に二度就任、最高裁判所の裁判官も務めた。一七〇六年には国王の命でコペンハーゲン市長になり、町の整備、貧民の救済などに尽くした。いずれの任務も熱心にこなしていたレーマーは、天分職の天文学に従事する時間を奪われる結果となり、悔やまれることになった(注1)。

エルステッドの電流磁気作用の発見

レーマー同様、日本との接点は特になかったものの、世界的規模で人類の科学技術進歩の上で計り知れない貢献をしたのが、デンマークの物理学者で化学者のハンス・クリスチャン・エルステッド（一七七七―一八五一）だった。

一七九四年の春、弟のアナス・サンニュー・エルステッドとともに父が薬局を営んでいた故郷のランゲラン島からコペンハーゲンに移り、大学入学資格試験に合格したが、望んでいた化学が学科としてまだなかったために薬学を専攻、優秀な成績を収め、羊水について書いた卒論で金メダルを授与された。その後、カントの哲学に没頭し、『自然科学の形而上学的原理』（一七八六）に関する論文で一七九九年に博士号を取得した。化学を科学の一部門として見なしていなかった点には同調できなかったにしろ、エルステッドはカントの影響を受けて自然の単一性ならびにさまざまな自然現象間相互の関連性を信じて疑わなかった。

一八〇一—〇四年にエルステッドはドイツ、フランス、オランダに遊学し、ドイツで電気と磁気との間に関係があると見ていたヨハン・ヴィルヘルム・リッター（一七七六—一八一〇）に出会って感銘を受けた。以後エルステッドは物理学の研究に移り、一八〇六年にはコペンハーゲン大学の物理学教授となり、電流と磁気の関係についての研究を続けた。そしてついに一八二〇年に、電流の流れる導線の周囲に円形の磁場が形成されるという発見をし、結果を公表した。磁場の強さを表す単位には、彼の名前を取って、エルステッド（Oe）が使われている。ちなみに二〇二〇年には、発見二〇〇周年を記念してデンマークで催しが行われることになっている。

エルステッドは、化学の分野でも初めてアルミニウムの分離に成功したことで知られている。また、高圧をかけられた水が容積を縮小するのを計測する器械も発案した。

こうして各分野で業績を上げていたエルステッドは、学術用語がまだラテン語だった時代に、知識を普及させる必要性から、科学・文化の広い領域でデンマーク語の新造語を数多く創り出した。酸素、水素などの元素の名前から、摩擦、容積などの用語、さらには絵画美術、思考実験といった言葉まで、デンマーク語で創出したのがエルステッドだった。明治時代の日本で言えば、「知識」「芸術」「理想」「哲学」などの語を作った西周に相当していたと言える。

一八二九年にエルステッドは現在のデンマーク工科大学の前身であった学校を設立し、教科書も執筆するなどして科学の啓蒙に尽力しつつ、一八五一年に没するまで校長の職にあった。

エルステッドが活躍した時期は前述のデンマーク黄金時代にあたり（第3章参照）、繁栄した文化の中心人物の一人であった。自らも詩集を出版していたエルステッドは、イニシアルが同じH・C（ハンス・クリスチャン）のアンデルセンとは親友だった。ちなみにエルステッドの弟は、政治家の道を選び、一八五三年から翌年まで首相を務めた。エルステッド兄弟の名を冠し記念像、銅像の建てられた公園が、コペンハーゲンの町の中心にある。（注2）

ニールス・ボーアと量子力学の発展

現代デンマークにあって最大の科学者を一人あげよ、と問われたなら、ほとんどすべてのデンマーク人は物理学者ニールス・ボーア（一八八五―一九六二）の名を口にするであろう。また日本との関係でも、後述するように、ボーアは日本量子物理学の恩人と呼ぶにふさわしい、忘れてはならない人物となった。

父がコペンハーゲン大学生理学科教授、母が銀行家で政治家の裕福なユダヤ人の娘だったボーアは、父方の代々が知識人だった家系で、アカデミックな雰囲気のもとに育った。ニールスが物理学者になり、弟のハラルドが著名な数学者、息子オーエ・ニールス・ボーアも核物理学者になって一九七五年にノーベル賞を受賞、その後の世代も現在に至るまで次々と物理学教授になっているという家系である。

農工業が発展し、畜産業が好調で輸出を伸ばし、好景気が協同組合や積立銀行の創立、国民高等学校の新設など、社会全体に改革の機運をもたらし、女性の地位も次第に見直されるようになっていたというように、ボーアは時代環境のよい時代に少年の日々を過ごした。学問の領域でもさまざまな分野で研究が進み、活力に満ちていた。ボーア家の周辺でも、学者仲間が食事をしながら議論をする集まりが頻繁に開かれ、弟のハラルドといっしょにそうした話に耳を傾けていた。一九〇三年にコペンハーゲン大学に入学、もちろん物理学専攻だった。よい教師に恵まれ、入学して間もなく、原子の世界で起こっていることを理解するには従来の思考法では不可能なことに気づいた。一八九〇年代に、放射能や電子、エネルギーの構造など、次々と新発見がなされていたからである。ボーアは放射性物質の半減期について講演したりしていたが、一九〇七年、二十二歳のときに表面張力についての懸賞論文で科学協会から金メダルを受賞した。

そして一九一一年の五月に「金属の電子論」と題した博士論文を提出し、理学博士となった。論文は諸金属の電導率、熱伝導率、電磁気性などを調べることで金属中の電子流の性質を明らかにする理論的試みだった。まさしくレーマーとエルステッドの研究の流れを継ぐ論文だったのである。

一九一〇年ボーアはマルガレーテと婚約し、一二年に結婚した。マルガレーテは多少識字障害のあったボーアの右腕となって夫を助けた。ボーアは世界中から届く手紙にすべて返事を書いていたが、それはマルガレーテに口述したものだった。カーボン紙を使って複写された返事は、元の手紙とともに保存され、それがコペンハーゲン大学のニールス・ボーア文書館に保存されていて、科学史研究の貴重な史料になっている。アインシュタインの手紙も仁科芳雄の手紙も原本がすべて保管されている。

理学博士号を取得した年にボーアは奨学金を得てケンブリッジ大学に赴いたが、思うように研究ができず、ラザフォードのいたマンチェスター大学に移った。ボーアはその前年にラザフォードが発見した原子模型が正しいことを確信していたが、電子が原子の核の周囲を運動していることは認めても、古典物理学の法則は適用できないと考えていた。そして一九一三年に、原子の性質を説明する模型を提唱し、原子がなぜ安定していて、電子が原子核の周りをいかに運動するかを発見した。それにより原子のスペクトルを完全に定量的に説明することできるようになり、いわゆる周期表も説明可能となり、各種元素の性質を、まだ発見されていなかった元素も含めて説明することができるようになった。まさしく画期的な発見で、古典物理学とは決定的に一線を画するものだった。新しい物理学がここに誕生し、現代の科学のすべてが根本的なところでこの発見に恩恵を蒙っているのである。

ボーアは一九一六年になってコペンハーゲン大学理論物理学講座の教授に就任し、デンマークに戻った。そして一九一八年に原子物理学研究所の設立に着手し、二一年に落成した。それがまだ工事中の二〇年にボーアはアインシュタインとラザフォードをコペンハーゲンに招聘、自らは元素の周期律に関する理論的基礎を固める作業に集中し、ついに成功した。原子番号が原子量の軽い順に並べられているだけではなく、核を取り巻く電子の数に関わっていることを立証したもので、その結果、いまだ発見されていない元素の存在が予言された。ちなみにボーアの研究所で一九二三年に元素番号72が発見され、コペンハーゲンのラテン名ハフニアにちなんでハフニウム（Hf）と名付けられた。原子物理学研究所は、ボーアの死後、一九六五年に正式に「ニールス・ボーア研究所」と改称された。

コペンハーゲン精神と日本の研究者へのインパクト

研究所には開設以来世界各国から研究者が訪れ、国際的な雰囲気のもとで量子論の研究が進められていた。ボーアは一九二二年一二月に原子の構造と放射線の研究に対してノーベル物理学賞を授与された。これがまた外国からの研究者をコペンハーゲンに引きつける要因となり、研究所の国際性はいちだんと高まった。そんな雰囲気の中で、いわゆる「コペンハーゲン精神」が培われることになった。デンマーク人全般の気性とも通じるもののある精神である。

すなわち、自分のしたい研究を遂行し、同僚と自由に議論ができるような機会があたう限り与えられ、形式張らずに遊ぶが如くに仕事ができ、全員が平等に共同作業を続けていける環境のことである。肩書き、年齢、国籍、社会的地位、個々人の性格などにはこだわらず、もっぱら物理学と愉快な共同作業に徹底すること、そこに重点が置かれていた。毎週一度開かれていた集会では自由で激しい討論が一日中行われて、時には夜中まで続けられた。研究者たちのグループは、実験と議論に疲れると遊びの精神を発揮して、図書室にあった卓球台を囲んだり、近くの映画館へ行って西部劇を見たり、自らレヴューを演じたりして楽しむことを忘れなかった。

傍目には秩序もなく不躾に見られていた側面もあったようだが、要するに、自由な雰囲気の中で結果を出すことにあり、ボーアの采配のもと、コペンハーゲンに集まっていた学者が国際的な学術誌に次々と成果を発表していた事実は誰にも否定できないことだった。仁科芳雄をはじめ、ボーアの研究所を訪れた日本人物理学者たちは、このような環境のもとで仕事をしていたのである。

一九二四年から短期間コペンハーゲンに滞在していたハイゼンベルグが量子力学の新理論を発表、マトリックス力学（行列力学）を作り上げたのが一九二五年、パウリが原子内部の電子が従う排他律について、ウーレンベックとハウトスミットが電子スピン理論を提案したのも同じ二五年のことだった。以後の五年間、原子物理学界は驚くべき新発見を矢継ぎ早に世に送ることになる。コペンハーゲンのボーアの研究所は、常にその中心的存在になっていた。仁科がそこに飛び込んでいったのはまさに二五年のことだった。

翌年から「電子は粒子か波動か」をめぐってボーアの研究所では激しい意見が交わされ、さまざまな新理論が発表される中、二七年になってハイゼンベルグが不確定性原理についての論文を執筆、こうした一連の新理論の群れに一つの統合的な説明を与える試みとして、ボーアが相補性原理を提唱した。電子が粒子であるか波動であるかを言うことは不可能であり、その確率を語ることで満足しなければならない。電子は粒子であり波動なのであると。

こうして量子力学が急速に完成されていくが、二九年までには仁科ら日本人研究者が帰国し、日本の原子物理学界に新しい息吹がもたらされた。理化学研究所（理研）では原子核、宇宙線の研究が進められ、東京帝国大学、京都帝国大学、東北帝国大学の物理学の各部門でも活気に満ちた研究が展開されるようになった。理研の開設にともなって来日したディラックとハイゼンベルグが東京と京都で行った講演が、湯川秀樹、朝永振一郎をはじめとする日本の若い物理学者になみなみならぬインパクトを与えた。量子力学が宇宙線の分析など原子核外部の現象に取り組んでいた一方、三二年に陽電子と中性子が発見されるなどして、原子核内部の構造を究める研究がさらに進展した。けれどもその研究のためには、非常に高圧な電場で加速された粒子が必要で、高電圧装置とサイクロトロンの製造が不可欠となった。以後、核物理学はそのための巨大で複雑な装置を利用できるかどうかが決め手となるようになった。一つの元素をほかの元素に転換することが可能になると、物理学者たちの関心が核反応に集中するようになり、核分裂の発見につながっていくのである。ちなみに日本では仁科の尽力によりサイクロトロンが三七年に作られた。

三三年にドイツでヒトラー内閣が成立し、ユダヤ系の学者が解雇されるようになると、ボーアは国を追われた物理学者たちを研究所に引き取るようになったが、状況はさらに悪化していった。三四年にはジョリオ＝キュリー夫妻によって人工放射性元素が発見され、三六年に発表されたボーアの理論に導かれて、ついに三八年になってシュトラスマンとハーンによって核分裂の発見がなされたのだった。原子爆弾への第一歩が踏み出されたのである。

その間ボーアは三七年に、アメリカを皮切りに、太平洋を渡って日本、中国、さらにソ連を訪問する世界一周の講演旅行に出発した。日本へは仁科らの招待で四月の桜の季節に来日し、五月半ば過ぎまで滞在して各地で講演を行った。その直後の七月に日中戦争が始まり、三九年になると第二次世界大戦が世界を席巻するようになる。

日本訪問中にボーアは、雲のせいで頂上が見え隠れする富士山が相補性原理を自然の中で体現していると見て大いに喜び、日本の自然と伝統を高く評価、そして何よりも日本の「知性」と出会ったことで、世界の文化間に優劣はないことを確信するなどして、平和の思想を育んでいた。そして帰国後に相補的文化論を展開するようになるのだが、当時にあってそれは極めて政治的なメッセージだった。ナチスのドイツであれ、「国体」の日本であれ、一民族、一国家の優越を真っ向から否定する観点であったからである（図14）。

原子爆弾の製造がもはや時間の問題になっていた四一年に、ボーアはナチス政権のドイツからハイゼンベルグの訪問を受けた。二人の対話の内容についてはさまざまな憶測がなされてきているが、原爆製造の是非とどの国が先に完成できそうかに焦点が当てられていたことは疑いようがない。

図14　富士山を背景に右から仁科芳雄、ニールス・ボーア、マルガレーテ夫人、令息ハンス（理化学研究所所蔵）

四三年になると、母方からユダヤ人の血が流れていたボーアは、迫害の難を逃れて劇的な脱出を試みてひとまずロンドンに亡命した。そこでイギリスからもソ連からも原爆開発計画への協力を求められたようだが、いずれも斥けてアメリカに亡命した。アメリカでも同様の計画には関与せず、その頃から既に原爆開発の将来を憂い、公開性と国際的科学協力を目指したいわゆる「開かれた世界」の構想を行っていた。四四年にチャーチルとルーズベルトに書簡を送って核の抑止を訴えたが、ソ連も含めた「開かれた世界」構築の提案は拒否された。そして翌年、広島と長崎に原爆が投下されたのだった。戦後も、五〇年に新たに結成された国際連合に有名な公開書簡を送り、原爆の相互査察と国際協力を訴え、五六年以降も原子力の平和利用と国際的な規模での研究を訴え続けた。(注3)

マッセンの細菌研究と野口英世

現在ではデンマークでも既に忘れられた科学者でありながら、細菌学が脚光を浴びていた時代には世界的に名の知れていたデンマーク人が、デンマーク国立血清研究所所長の細菌学者トーバル・

マッセン（一八七〇―一九五七）である。

ここにマッセンを取り上げるのは、彼の業績のためではなく、一九〇三年から翌年の秋までの一年間ほどをコペンハーゲンで過ごした野口英世（一八七六―一九二八）との関連においてである。

野口は、一八九九年に日本を訪れたアメリカの細菌学者でパラチフス菌の発見者として著名だったシモン・フレクスナー（一八六三―一九四六）に憧れ、翌年いきなりペンシルヴァニア大学に彼を訪ね、幸いなことに助手として雇われた。そこでガラガラヘビの毒について研究を始めたのであるが、周知のように指に障害があり、学歴もなければ博士号もない野口は劣等感のかたまりだった。故郷には許嫁がいて、借金も抱えていた野口は、必死の思いで昼夜研究に励み、ようやく奨学金を受けることになった。ところが、当時細菌学の中心であったドイツへの留学はかなわず、フレクスナーの判断でコペンハーゲンのマッセン博士のもとで研究を続けることになった。一九〇二年に設立されたばかりの血清研究所の若き所長だったマッセンは野口を助け、ガラガラヘビの毒についての研究を遂行させたばかりではなく、私生活でも親しく援助し、家族同然に遇した。おかげでコペンハーゲンでの滞在は野口にとって良き思い出となり、マッセンへの恩を一生忘れなかった。研究所の近くの陸軍下士官の家に下宿していた野口は、家の娘とごく近しい仲になっていたとも言われ、野口はコペンハーゲンでの滞在を満喫していたようである。

一九〇四年二月に日露戦争が勃発、野口は戦況を知るために新聞を買い集め、熱い愛国者になるのであるが、故国に戻って戦うのではなく、「医学の科学者兵士」として西洋で戦う道を選んだ。

けれども、善戦する日本軍の優勢が伝えられるに従い、野口は白人世界にあって自分が「黄色の猿」だと感じざるを得なくなり、その分ますます好戦的な愛国者ぶりを発揮するようになった。

一九〇四年の秋に野口はニューヨークに移るが、そこの下宿の壁には、デンマーク人の娘の写真が飾られていたと伝えられている。一九〇七年にペンシルヴァニア大学で修士号を、一一年には京都大学から博士号を授与された野口は、故郷で彼を待っていた日本人女性との婚約を破棄してアメリカ人女性と結婚し、豪勢で派手な生活を送るようになった。後代の調査によると、野口の研究には誤りのあったものが少なくなかったようだが、狂犬病と黄熱病の原因の探求には熱心だった。けれども、細菌学者の野口にはウィルスが黄熱病の病原だったことは発見できず、結局自ら黄熱病に命を奪われる結果となった。

一九二八年にアフリカ黄金海岸で亡くなって以後、ロックフェラー研究所が彼の胸像を図書館に建て、日本でも野口を英雄扱いするようになった。貧しく障害がありながらも世界的に有名になった野口少年の成功物語が語り継がれるようになったのである。アメリカンドリームの日本版である。その野口が、機会あるたびに思い出し、マッセン宛の手紙の中で何度も繰り返し語っていたのが、コペンハーゲン時代の幸せな日々だった。マッセンは、日本との接点で忘れがたいデンマーク人科学者なのである。

キルケゴールと日本の哲学

世界的に有名でデンマークを代表する哲学者セーレン・キルケゴール（一八一三―一八五五）は、実存主義哲学の祖として捉えられているが、実存主義という用語は後代に唱えられた名称で、キルケゴールが使用したことはない。西洋近代の合理主義的もしくは実証主義的な思想の傾向に対抗するキルケゴール以来のヤスパースやハイデガーなどの哲学的な思考を網羅して捉える際に用いられる「実存主義」という名称を、自らの思想に冠したのはサルトルである。実存主義思想は、事物や人間の存在を普遍的で客観的な本質に即して把握しようとする概念的な思考に対して、今ここで現実に存在する人間の主体的なあり方に着目する。それにはさまざまなアプローチが可能であるが、キルケゴールの場合は、「神に対する関係として捉えられる自己」に焦点が当てられた。個人として神といかに向き合うかが問われたのである。実存は他者との関係性の問題として思考されるようになり、個人と社会、個人と国家、個人と歴史というように波紋は広がっていくが、基本にあったのは人間と神の問題であり、思考の目的は個と全体をいかに調和させるかにあった。キルケゴールは、理想論を展開させるのではなく、人生の現実、その不合理で矛盾に満ちた現実を「不安」「憂鬱」「恐れ」「絶望」といった観点から分析し、それらを見極め、受け入れることを通して調和に達する道を求めた。キルケゴールが追求していたのは、抽象的な人間ではなく、今ここに生きる人間の存在のあり方だった。キルケゴールは物語るようにして思考する哲学者だった。著作が今の読者にも語りかけてくるのはそのためである。

日本でのキルケゴール受容は、二〇世紀初頭のドイツ語文献を媒介にしての紹介に始まった。その後、デンマークの文芸批評家ゲーオア・ブランデスのイプセン紹介が日本で反響を呼び、個人主義ならびにイプセン劇の主人公ブランドの「一切か無か」の思想との関連で、自己認識、個人主義の思想家としてキルケゴールへの言及がなされるようになった。それより以前の一八九三年に、教会のキリスト教ではなく個人の信仰として神との関連を探っていたキルケゴールの思索に同調するかのように、後年無教会主義を唱えたキリスト教思想家内村鑑三（一八六一―一九三〇）が『私はいかにしてキリスト教徒になったか』を英文で発行していた。キルケゴールの場合、私個人ではなく、「人は」いかにして神との関係を結ぶかであったが、内村の場合は、仏教や儒教の文化伝統を背景にしていかにキリスト教徒になれるか、という問題意識があったのだが、個人として神への信仰を極める態度にはキルケゴールの思索に通じるものがあった。内村の著書は一九〇六年にデンマーク語に翻訳され話題になった。ちなみに内村はキルケゴールだけではなく祖国の苦難を乗り越える小国デンマークに興味を抱き、一九一一年に「デンマルク国の話」と題して講演をしている。

一九一五年に和辻哲郎が日本初のキルケゴール研究書を刊行し、従来のキルケゴールを個人主義の哲学者と見なす観点に対し、倫理哲学者としてのキルケゴールを論じた。

一九三〇年代になるとキルケゴールに対する関心が再燃したが、その中心にあった一人が哲学者の三木清で、彼の監修のもと、一九三五年に『キルケゴール選集』全三巻が改造社から刊行され、初めてキルケゴールの著作のテキストが翻訳紹介された。三木自身はキルケゴールを主観的な思想家とみなし、批判的だった。続いて西田幾多郎、田辺元などが、自身の哲学を進化させるいわば糧のようにキルケゴールの思想に関わっていく。この頃までは日本のキルケゴール受容はすべてドイツ哲学もしくはドイツ神学の土壌で行われ、翻訳もドイツ語からの重訳であったが、一九三〇年に宮原晃一郎がキルケゴールの『あれかこれか』の一部をデンマーク語から翻訳して以来、徐々に原語でキルケゴールに接する機会が日本にもたらされるようになってきた。

そして戦後、虚無と荒廃の中にあって自己のアイデンティティーを模索する「不条理」な時代が訪れ、サルトルの実存主義の流行に乗るようにしてキルケゴールへの関心が増大し、著作のほとんどすべてが原語から直接翻訳されるようになった。これは世界でも稀なる現象で、その先導役を務めたのが三木の弟子であった枡田啓三郎だった。研究者としても優れた業績を上げ、大谷長(まさる)とともにキルケゴールの思想の普及に貢献した。

けれども現代では、キルケゴールの著作はほとんど読まれなくなっているようである。神が関与する思想が、日本の精神風土にそぐわないという事情もあるようだが、キルケゴールの思想の核心は、デジタル社会にあって不可視のネットワークと天文学的な量のデータが神のような存在となっている現今、その渦中でいかに主体性を保つかを考えるうえで、大いに役立つのではないだろうか。垂れ流しのような文章と冗長な言葉が充満する中で、キルケゴールの的確無比な言語表現を読むのは救いになる。

キルケゴールの著作の中で、かなり広く読まれてきているのが、『あれかこれか』の一部である「誘惑者の日記」である。若い男女間の恋愛の取引と婚約に至る道、さらにその破綻への過程を往復書簡の形で描写したこの作品は、キルケゴールの実体験に基づいている。そこまでは確かなのだが、体験が脚色されている点、恋人レギーナの言葉が書き手である著者によって構成されている点を見ても分かるように、これはレギーナという実在の女性をモデルにして主人公の抽象的な「女性」との葛藤を扱ったフィクションである。こと生身の女性に関しては小心で臆病であったキルケゴールは、レギーナとの婚約破棄がトラウマになってしまったが、幸か不幸かそれが生涯にわたる思索の原点になったとも言うことができる。なぜ自分はそんな行動をとったのか、レギーナという「他者」との関わりがもたらした苦悩を体験した後で自分の行動を釈明し、理論的に説明すること。それがキルケゴールの選んだ思索の道だった。実生活で青年キルケゴールがいかに振舞っていたかを証言するレギーナ自筆の日記が二〇〇一年になってようやく発見された。それを見れば、レギーネが自分の方からキルケゴールを突き放し、捨てていたのが分かる。作家キルケゴールは、原体験を操作し歪曲しながら創作を行い、思考を深めていたのである。(注4)

風を味方につけた再生可能エネルギー開発

地球温暖化が進行し、気候問題が人類の将来にとっていかに重要かが叫ばれている現在、二酸化炭素を排出しないエネルギーの確保がますます緊要の課題となっている。北海の石油と天然ガス資源に限度があり、おまけに原子力発電をしていないデンマークは、化石エネルギーに頼らないで電力を得る方法を、小国発進の知恵と技術を生かして長年追求してきた。その成果が徐々に現われ、風力発電に関する限り、世界を先導する地位を保っている。一昔前には、風車を攻撃したドン・キホーテになぞらえられ揶揄されてきた風力発電の開発だったが、当初採算は取れなくても諦めずに理想を追求、日夜技術の改善に務めてきた成果がようやく身を結ぶようになったのである。

デンマークの風力発電開発の歴史は、アスコウ国民高等学校で教えていた発明家ポウル・ラ・クール（一八四六―一九〇八）まで遡る。彼はまず風力発電の際に不可避な二つの問題、すなわち風の吹き方が一定でないことと、常に吹くわけではないことを解決すべく、研究助成金を要請して認可された。一八九一年のことである。ラ・クールは風力を均質にする装置を発明し、水素と酸素を使った充電システムを作成した。そして二〇世紀に入ってから発電用の風車を製作し、実験を重ねていった。理論家ではなかった彼は、実験を繰り返すことで細々と風車の改良を行っていた。

第二次世界大戦後になって、これも専門教育を受けていなかったヨハネス・ユール（一八八七―一九六九）が出て、最も効率の良い風車の羽根の数を実験して調べた。試行錯誤を経て三枚が最適との結論を出し、それは現在に至るまで継承されている。一九五七年には高さ二四メートルのゲッサー型風車を作成、順調に機能させた。

六〇年代は石油が安価で風力発電の必要性が消えていたが、七〇年代になって世界がオイルショックに見舞われると、再び風力発電への期待が高まった。

そうした背景のもと、一九七六年にデンマーク政府は風力発電開発の研究プロジェクト推進を発表、その三年後に民間の企業に助成金を出す決定をした。

それが追い風になって、八〇年代初め、カリフォルニアに大量の風車を納入する機会が訪れ、それが技術改良の好機となった。以後、景気の変動に伴って風力発電機への需要が増減しつつ現在に至っているが、デンマークでは既に二〇一七年に国内の電力の四三・四パーセントを風力発電で補うまでになっていた。それを二〇二〇年には五〇パーセントまで増大させることが当面の目標であり、達成されつつある。また、洋上風力発電設備がヴェスタス社などを中心に開発され、より大きく高く設計された機器が世界の市場に進出し、デンマークの重要な輸出品となっている。

さらに、次世代の機器の開発も盛んで、今までは陸上もしくは浅瀬の洋上に建設してきていた設備を、深海でも風や波の影響を受けずに機能できるように設計する実験が進められている。(注5)

日本との関連でも、モーターの技術に長けた三菱重工が技術提携に積極的で、ヴェスタス社と洋上風力発電設備専業の合弁会社を設立している。

注1　オーレ・レーマーについての詳細は Per Friedrichsen（red.）: *Ole Rømer – videnskabsmand og samfundstjener*

2004 を参照。光速測定の歴史については http://sspp.phys.tohoku.ac.jp/yoshizawa/kousoku.htm を、レーマーが光速を算出した方法については http://fnorio.com/0128Romer_1676/Romer_1676.html を参照。

注2　エルステッドについての詳細は *Den Store Danske Encyklopædi* ならびに http://denstoredanske.dk/It,_teknik_og_naturvidenskab/Fysik/Fysikere_og_naturvidenskabsfolk/Hans_Christian_Ørsted を参照。

注3　詳しくは拙著『ニールス・ボーアは日本で何を見たか』を参照。

注4　詳しくは Kimiya Masugata: A Short History of Kierkegaard's Reception in Japan. Based on 枡形公也「日本におけるキェルケゴール受容史」『大阪教育大学紀要　I人文科学』三八巻一号、一九八九年、長島要一「「作家」キルケゴールの虚と実：婚約者レギーネの日記から」（上）（下）、『図書』二〇一三年一〇月号、一一月号などを参照。

注5　風力発電の歴史に関しては Kristian Hvidtfelt Nielsen. Vindmøllens historie: Sådan tæmmede danskerne vindens energi. Forskerzonen. https://videnskab.dk/teknologi-innovation/ を参照。

第5章　デンマークの文学・音楽と日本との接点

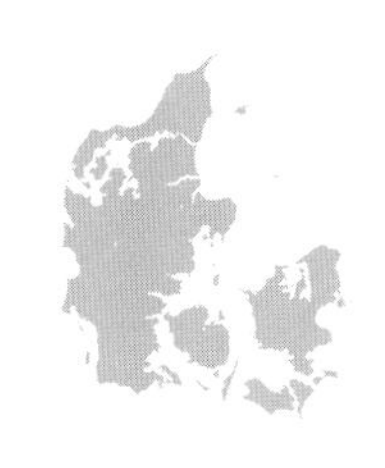

デンマーク文学史の概略は、例えば集英社刊『世界文学大事典』第五巻の「デンマーク文学」を参照していただくとして、日本との接点で言及すべきは、例によってデンマーク文化の黄金時代を現出させた作家たちで、なかでも傑出していたのが世界的名声を博したアンデルセンである。

アンデルセン

明治時代に西洋文化を旺盛に摂取していた頃、ハンス・クリスチャン・アンデルセン（一八〇五―一八七五）の童話が重訳、抄訳、翻案、脚色されて、作者がデンマーク人だったとは知らずに英仏独語から紹介されていた。「マッチ売りの少女」とか「裸の王様」が、表題の名称もさまざまに、矢継ぎ早に活字になって読まれていたのである。

以来、アンデルセンの童話は日本人の好む外国文学として広く翻訳されるようになり、やがて原語から直接翻訳されるだけでなく、ついにはアンデルセン童話の全作品が翻訳出版されるようになった。

ただし、日本でのアンデルセン紹介には美化と歪みがあった。童話偏重だっただけではなく、「童話」の解釈を誤ってきていたのである。

「童話」という名称は、アンデルセンが自ら「子どものためのお伽」と読んだ作品群を一八三五年に執筆したことに由来している。ところが、それは「子どもに語りかけるように装って書かれたお伽」でもあり、テーマが大きくなって愛や死、永遠、人生のはかなさとなると、アンデルセンは作品を単に「お伽」と呼び、「子どものための」を削除している。にもかかわらず、日本語訳ではすべてが童話とされ、「子どもに語り聞かせる」点に重点が置かれて一種歪んで不自然な文体が編み出され、話の結末を改変することさえ行われてきた。自分史を「童話」という形を借りて語っている壮年、老年のアンデルセンには、初期の「童話」を語っていた時に想定されていた「子ども」は存在しないのである。

こうした思いから筆者は、アンデルセン生誕二〇〇年の二〇〇五年に、日本の大人の読者向けにアンデルセンの「童話」作品から選りすぐったものを新訳して紹介した。振り仮名をつけたりせず、漢字も普通に使用してある。一読をお勧めしたい。(注1)

『即興詩人』と森鷗外

「童話」作者として有名なアンデルセンだが、デンマークのロマン主義が盛んだった黄金時代には小説作家として活躍するのが夢だった。この分野では『即興詩人』が成功を収め、デンマーク国外でも名を知られるようになったが、当時は翻訳権の制度などはまだ整っておらず、収入が得られるわけではなかった。次第に借金が重なり、経済的な理由から手っ取り早くできる仕事として民話から題材を取ってアレンジして書いた小品が「子どものためのお伽」だったのである。以後、こちらの方が主流となり、小説執筆は断念されるようになる。

とは言え、西洋の文学潮流がロマン主義からリアリズムに移行する時期に書かれ、過渡期の作品の持つ未熟さと瑞々しさを持っている『即興詩人』は注目に値するものであった。これは南国イタリアを舞台にして主人公アントニオが即興詩人として成長し名声を得るに至る過程を描いたいわゆる教養小説で、芸術家としての虚栄心とナルシシズム、自己中心主義との闘いが主題の一つになっている。と同時に、さまざまなタイプの女性との出会いを通じて自己発見を行い、愛欲を抑えることで詩人としての成功をつかんだ主人公の出世物語でもあった。また、夢物語のようなロマンティックな展開がリアリスティックな記述と融合し、自伝と一人称小説が混合している奇妙な作品でもあった。主人公にアンデルセンの姿が投影されて半自伝的な物語になっているだけではなく、一場面では、実人生のアンデルセン自身が虚構の小説世界に登場してさえいる。さらに紀行文学としても評価され、イタリア旅行の案内書としても読まれていた。けれどもこの作品は本国デンマークでは既に忘れられ、知る人が少ない。日本で愛読され続けてきているのは、ひとえに森鷗外（一八六二―一九二二）による翻訳のおかげである。

衛生学を学びにドイツに留学した森林太郎は、余暇に主にレクラム文庫に収録されていた西洋の古今の作品をドイツ語訳で読み親しんでいたが、帰国後、鷗外の名で『舞姫』等の作品を執筆していくかたわら、一八九二年から一九〇一年にかけて、日清戦争への従軍もはさんで延々と『即興詩人』を訳し続けていた。地方から東京へ出て学び、さらにはヨーロッパに留学した後に日本の近代化に貢献していた鷗外自身の出世物語が、『即興詩人』の主人公に重ね合わされていたらしいことは容易に察しがつく。また、「虚栄心」と「愛欲」に翻弄されながらもそれを乗り越え、即興詩人として成功を勝ち取ったアントニオの形象に、鷗外が自らの青春を重ね合わせていたらしいことは大いに考えられるのである。

ところが鷗外には、『即興詩人』を翻訳するにあたって大きな課題があった。西洋文化の凝縮された『即興詩人』の作品世界を、明治のまだ言文一致の地盤すらできていなかった時代にいかに日本語に直すかという難問だった。鷗外の選んだ道は、原作からロマン主義の神秘性をぬぐい去り、キリスト教的な要素を省略、アンデルセンの自伝的背景を無視することで、格調の高い雅文体を駆使した全知の語り手による一人称小説として訳出することだった。その改編ぶりは徹底していて、鷗外訳からアンデルセン原作の世界を想像することは不可能に近い。一応は翻訳とされていながら、岩波文庫版では「緑」帯の近現代日本文学に分類され創作として扱われてきているのは卓見というべきだろう。

鷗外訳の『即興詩人』が当時の日本の若い世代に影響を及ぼしたのは言うまでもない。原作から離れた名訳というまさにその理由で、作者のアンデルセンは脇に押しやられた感があった。童話の翻訳同様、『即興詩人』も後に原作から直接翻訳したものが発行されるようになるのだが、鷗外のドイツ語版からの重訳改編作ほどのインパクトを与えることはなかった。

日本人にとってアンデルセンは童話の神様であり続け、今でも日本でいちばん知られているデンマーク人なのである。(注2)

児童文学

次に、童話との関連でデンマークの児童文学に触れておく。北欧の児童文学は概してレベルが高く、読み物でも絵本でも優れた作品が数多く発表されてきており、デンマークも人後に落ちない。エゴン・マチーセン（一九〇七―一九七六）の「あおい目のこねこ」、イブ・スパング・オルセン（一九二一―二〇一二）の「つきのぼうや」は日本でもロングセラーになっているし、それに続くオーレ・ロン・キアケゴー（一九四〇―一九七九）、ベント・ハラー（一九四六―）、ビャーネ・ロイター（一九五〇―）、キム・フォップス・オーカソン（一九五八―）、ヤコブ・マーチン・ストリッ

ド（一九七二―）と枚挙にいとまがない。[注3]

ここでは国際アンデルセン賞を受賞しているセシル・ボトカー（一九二七―二〇二〇）とヤンネ・テラー（一九六四―）に簡潔に言及しておきたい。いずれの女性作家も、児童文学以外の分野で台頭して活躍してきているが、ボトカーの場合は全十四巻に及ぶ『シーラスシリーズ』によって、テラーは衝撃的な作品『人生なんて無意味だ』によってデンマーク児童文学史上に名を留めることになった。

ボトカーの『シーラスシリーズ』のあらすじを紹介しておこう。サーカスで馬に乗って芸をしていた少年シーラスは、横暴な義理の父親から逃れ、賭けに勝って手に入れた黒い馬を連れて旅に出た。自由な身で、聞く者の心をとりこにする笛を吹いてその日暮らしをしながら自立を目指す。周囲には偽善に満ちた大人たちの世界。ふりかかる危険を身軽さと機転で乗り越えていく。ある日、眼球のない盲目のマリアに出会って心底から衝撃を受け、思わず罵り言葉を発してしまい、それが心の傷となる。やがて足の不自由なビン・ゴーディックと知り合い、以来親友となってさまざまな体験を共有していく。シーラスは、困難に巡り合うたびに成長していくが、もう一人、世界児童文学史上まれに見る悪党老婆ウマガラスとの確執がシリーズの伏線となる。馬のように強くカラスのように黒い装束を着けたウマガラスは、後に両性具有の社会の除け者だったことが知らされる。自らも社会の浮き草のように生きていたシーラスの周辺には、共同体の社会からはじき出された子どもたちや老人たちが次第に集まってくる。身体の不自由な者たちも仲間に入れていっしょに過ごすうちに、理解を示してくれる大人たちも合流してきて、やがて山の上に新しい村を築くようになる。流浪を続けていたシーラスが定着することでまた新たな困難が持ち上がった。食料の確保、盗賊との闘い。仲間のうちの一人の娘に恋をして悩みもした。ところがその娘も自立を求めて町に出ることになる。幸い、シーラスはすばらしい伴侶を見つけて一児の父親になることができた。こうして青年から立派な大人になったシーラスは、ずっとサーカスに残っていた母親と再会する。

『シーラスシリーズ』は第一巻『シーラスと黒い馬』が国際アンデルセン賞を受賞したのがきっかけで、当初は思いもよらなかったシーラスをめぐる一大成長物語になってしまった。作者ボトカーはシーラスとともに生き、身体の不自由な人たち、女性、老人、よそ者等に対してさまざまな形で社会に浸透していた「差別」の問題を取り上げながら、人の自由、思いやり、連帯について語り続けてきた(注4)。

ヤンネ・テラーの『人生なんて無意味だ』は、一時デンマークの中学校で副読本として取り上げられたことがあり、物議をかもした。「意味のあるものなんて何もない」と言い張る少年が投げかけた言葉に対して、少年少女たちがさまざまな行為を通じて答えるのが本書の骨格になっている。作中にはかなり強烈な印象を与える描写があるが、題材は極めて深刻で、少年少女たちの間に潜在するニヒリズムが議論の対象になっている。本書に対して悲観的で批判的な大人たちは、人生経験の乏しい青少年に人生の無意味さについて語ったりしていいものか、人生に対する希望を失わせていいのだろうか、若者に人生の価値など分かるわけがない、などと言っていたが、デンマークの中学生たちは極めて冷静に本の主題を受け止め、議論を通じてニヒリズムを克服してきている。現今の競争社会が皮相的で、市場原理に操られていること、メディアの誘いの危険性などを若者たちは見抜いている。今ここで懸命に生き、周囲の人々とのつながりを大事にすること。何事にもみな意味があるのだという本書のメッセージは確実に伝わった。(注5)

二〇世紀文学：自然主義から女性作家の活躍まで

ここでまたデンマークの文学史に戻ろう。一八七〇年代になって文学界の主流が小説となり、やがて自然主義が紹介されるに至った。その理論的指導者がゲーオウ・ブランデス（一八四二―一九二七）で、以後世紀末にかけてストリンドベリ、イプセンなどが輩出して北欧文学全体が隆盛期を迎えた。現実を描写し社会を批判的に観察する方法は、ポントピダンなどに新しい作風を結実させた。デンマークの二〇世紀文学は、機械文明の進歩を謳歌したイェンセンの小説で始まり、その楽観主義は第一次世界大戦まで続いた。ところが第一次大戦によって西洋の価値基準が崩壊したことから時代は暗くなり、文化の危機は一貫して深刻なテーマとなった。やがて時代の風潮は社会主義リアリズムに彩られるようになったが、一方で心理小説の方法を取り入れたり、ジャズ時代の若者を描写したりする作品も書かれた。ディネセンのペンネームでブリクセンが活躍したのもこの時期である。第二次大戦後の世代は際立って内向的になり、罪の意識、戦争のトラウマ、アイデンティティーの喪失など、実存主義的な問題を取り扱った作品が続出した。疎外されて孤独な人間存在を見つめる作家たちが文学界の核を形成していたが、やがて不条理な現代人の状況を主題とした作品が描かれるようになった。経済成長期には内面の荒廃を描く小説が、福祉社会確立以降には、七〇年代のフェミニズム運動を契機に女性文学が急速に成長した。現在に至るまで、特に女性文学などとあげつらう必要のないほど、デンマーク文学を代表する作品が女性作家によって発表されている。(注6)

デンマーク二大新聞の「ベアリンスケ・ティーデンデ」と「ポリチケン」が行った、西暦二〇〇〇年ミレニアム記念の年の企画アンケート「二〇世紀最高のデンマーク小説」の際、いずれでも一位に選ばれたのがヨハネス・ヴィルヘルム・イェンセン（一八七三―一九五〇）の『王の没落』（一九〇〇―〇二）だった。『王の没落』は、二〇世紀初頭に発表された作品なのにも関わらず世紀を通してデンマーク国民に読み継がれてきた傑作である。既に一九二五年にノミネートされていながらイェンセンにノーベル文学賞が授与されたのは、第二次世界大戦のために四年間の空白があった後の一九四四年のことだった。

ちなみに「ベアリンスケ・ティーデンデ」での二位は、ヘミングウェイと一九五四年にノーベル文学賞を争ったが叶えられなかった女流作家カレン・ブリクセン（一八八五―一九六二）の『七編の奇譚』で、「ポリチケン」での二位はカール・ゲレルプとともに一九一七年にノーベル文学賞を受賞したヘンリク・ポントピダン（一八五七―一九四三）の『幸福な男ペア』だった。

イェンセンの『王の没落』は一六世紀のデンマークで北欧を統一しかねたデンマーク国王クリスチャン二世（一四八一―一五五九）の物語で、歴史的題材を取り上げているが、単なる歴史小説ではない。重苦しいペシミズムに充満されていながらも読者を魅了してやまないこの小説は、中世社会の人間劇が二〇世紀初頭の視点で捉えられ、多層で緻密に構成されている。デカダンスの世紀末に作品を書いていたイェンセンが、まさにその退廃的なデカダンスの作風を一方で徹底させつつ、他方でそこから離別するべく構想された一大叙事詩が『王の没落』だった。

クリスチャン二世は一五一三年に即位して以来スウェーデン攻略の時機を狙い、それが一五二〇年に実現し、自らスウェーデン王として即位するのであるが、その際とった手段が、カルマル同盟に反対するスウェーデン人の有力者を大量に処刑するという、いわゆる「ストックホルムの血浴」によるものだった。ここに至って北欧諸国間の平和は崩壊したが、自らの権力を破壊的に利用したまさにその凶暴さによって、王は没落の第一歩を歩んだのだった。

『王の没落』の主人公は、学生で後に傭兵となるミッケルで、その悲劇的な運命は、栄光の絶頂から没落に至った国王クリスチャン二世のそれと重ね合わされ、さらにはデンマークという国、デンマーク人の国民的性格と疲弊の象徴にもなっている。
ちなみに、『王の没落』を本邦初訳で刊行する計画が進んでいる。

ポントピダンの『幸福な男ペア』は、粗筋のような抄訳が日本で一九七二年に刊行されたのみであるが、デンマークでは最近復刊され、映画化もされた。この全八巻に及ぶ大河小説はトルストイ並みの一九世紀末リアリズム小説の正統を継承した本格的な教養小説で、全知の語り手が悠々と主人公の「幸福な」若者ペアの一生を語っている。時代的背景は変化しているにしろ、若い男の夢と挫折、疑念と心の迷い、洞察に満ちた自己発見の過程には今に通じる現代性があると再発見されて話題になった。この百年以上前の小説作品の何が現代的かというと、世界的に幸福な国民ということになっているデンマーク人の「幸福」な人間像が、良くも悪くも典型として内面からも外面からも余すことなく描写されていて、それが本質的なところで二十一世紀のデンマークの若者像に見事に重なっているからである。時代は推移しても、実は何も変わっていなかったのだ。(注7)

カレン・ブリクセンの『七編の奇譚』は、イサク・ディネセンのペンネームを使い英語で書かれた作品だが、『七つのゴシック物語』の表題で邦訳が出版されている。ブリクセンは、同趣向の作品『冬物語』のほか、『アフリカの日々』『バベットの晩餐会』でも知られている。(注8)

推理小説の部門でも北欧の作品が広く知られ読まれてきているが、デンマークの最近の作家で特に有名なのが、『特捜部Q』のシリーズが好評のユッシ・アドラー・オルセン（一九五〇―）である。名前のカタカナ表記が「エーズラ・オールソン」などとされてわずらわしいが、第一作の『檻の中の女』以来、全十作を十年で刊行すると作者が宣言した通りに毎年一作きちんと発表し続けており、それだけでも驚異的である。一作ずつ最新のテーマを取り上げ、時代に遅れるどころか、先駆ける面もあって読者を惹きつけている。いずれも映画化されていて、デンマークでは観客の数が群を抜いている。

女性作家の活躍も目覚ましいが、『北海に消えた少女』のローネ・タイルス、『樹脂』のエーネ・リールの名をあげるにとどめておく。

デンマークの代表的な音楽家

デンマークの音楽史上、特筆すべきはフリードリヒ・クーラウ（一七八六―一八三二）である。数多くのフルート作品を残しており、日本でもフルートの演奏を学んだ者なら教則本などで名前を知っているはずである。デンマークでは、彼の舞台劇『妖精の丘』が、一八二八年に初演されて以来、言わば国民劇としての地位を保っている。当時の代表的知識人で劇作家だったヨハン・ハイベア（一七九一―一八六〇）の祝祭劇にクーラウが作曲したこの作品は、クリスチャン四世が主人公で、デンマークの古い民謡を芸術的にアレンジしてあるためか、デンマーク人の心に響くものがあるようである。序曲と終曲には、クリスチャン四世を讃えて国歌の扱いを受けている王室歌が挿入されているため、その部分が演奏される時には、観客全員が起立する習慣になっている。

黄金時代とロマン主義時代のデンマークでは音楽の部門でも高揚が見られたが、なかでも作曲家ニールス・ウィルヘルム・ゲーデ（一八一七—一八九〇）が国外においても名声を博し、歴史に名をとどめている。ゲーデは、彼の交響曲第一番に感銘を受けたメンデルスゾーン、シューマンと親交を深めていた。

クラシック音楽ではないが、ゲーデの同時代の作曲家で舞曲の作曲に専念し、北国のヨハン・シュトラウスと呼ばれたハンス・クリスチャン・ロンビュー（一八一〇—一八七四）も知っておいてよい名前である。一八四三年から七二年までコペンハーゲンのチボリ公園の楽長を務め、『シャンパン・ギャロップ』を初め、数多くの親しみやすい軽音楽を作曲し、国民に愛されてきている。(注9)

カール・ニールセン（一八六五—一九三一、図15）は、王立音楽院でニールス・ゲーデと師弟関係にあったが、後期ロマン主義の伝統から離脱して、生地フューン島で育まれた自然との調和感覚を生かした独自の音楽世界を築き上げた。童話の王様アンデルセンの生まれ育ったオーデンセ市から南に一〇キロメートルほど行ったところで、アンデルセン同様に貧しい家に生まれたニールセン

図15　カール・ニールセン
（オーデンセ市博物館所蔵）

は、フューン島の明るく豊かで色彩に富んだ自然をそのまま体現したような大らかな少年時代を過ごし、宴会の音楽師だった父親の弾くヴァイオリンの陽気な音楽の中で育っていった。幼少より楽器を手に取り演奏の腕を上げ、大地に根を張った生命力溢れる雄大な音楽世界を築くに至ったのである。近代になって酪農国家となったデンマークという風土、その歴史と文化から養分を吸い上げて民謡風のメロディアスな旋律に成長させ、人々が口ずさめるような軽やかで印象に残る音楽を作曲したニールセンは、デンマークが誇って当然の作曲家であり、国民的作曲家として不動の地位を確立している。六番までの交響曲、フルート、クラリネット、ヴァイオリンの協奏曲、弦楽四重奏曲、オペラにピアノ曲と、世界的に有名な曲を数多く残しているニールセンであるが、その基盤にある旋律は、合唱曲や歌曲の名作にも通底している。それこそデンマーク人にとって忘れがたいメロディーであり、心の奥まで浸透しているのである。

ニールセンは、自伝文学の傑作『フューン島の少年時代』でも名を留めている。

また、ニールセンを記念して、若手の音楽家を対象に、フルート、クラリネット、ヴァイオリンの各部門、弦楽四重奏曲と木管五重奏曲のコンクールがオーデンセ市で開催されている。(注10)

ポピュラー音楽では、ヤコブ・ゲーデ（一八七九―一九六三）の名を忘れてはならないだろう。一九二五年に初演された『タンゴ・ジェラシー』が世界的に大ヒットし、今でも演奏されているが、それ以来得られてきている莫大な印税が若手の音楽家の育成基金に当てられている。

デンマーク人の歌好きには定評があるが、それを支えている一つの要素が、後述する国民高等学校で選別されてきた「歌唱集」に収録されている歌を、何らかの形で集会が開かれる時に出席者全員で合唱する習慣である。国民高等学校は牧師グルントヴィの理念に基づいて開校された寄宿制の成人学校のため、一八九四年の発刊以来「歌唱集」に讃美歌が含まれているのはもちろん、グルントヴィの詩に曲をつけたものが核を成していたのだが、カール・ニールセンの歌曲を入れるなどして、時とともに歌の数が増すだけではなく、新版が出るたびに入れ替えが行われ、時代を反映して外国の名曲やデンマークのポピュラー曲、ビートルズなども収められている。傾向として、古い歴史的な歌が駆逐される一方で、現在歌われ評判のよい曲が積極的に選ばれるようになってきている。二〇〇六年発行の第一八版では総数五七二曲のうち一六六曲が入れ替わっていたが、二〇二〇年一一月に第一九版が刊行されるにあたり、どんな新曲が採用されるのか、注目を集めている。こうしてまた、合唱を好むデンマーク人の伝統が継承されていくのである。合唱を通じて連帯意識が確認され、デンマーク人気質が世代を越えて養われていると言える。

デンマーク映画

最後にこれも世界的に評価の高いデンマーク映画について、簡単に記しておく。

筆頭はサイレント映画最後の傑作と誉れの高い作品『裁かれるジャンヌ』(一九二八)を撮ったカール・ドライヤ(一八八九―一九六八)である。宗教裁判で裁かれるジャンヌ・ダルクの苦悩をクローズアップの連続によって迫真的に表現して伝説的な作品になっている。戦後、死者の蘇生を扱った『奇跡』(一九五五)で、ヴェネツィア映画祭グランプリを獲得した。

ガブリエル・アクセル(一九一八―二〇一四)は前述カレン・ブリクセンの『バベットの晩餐会』を一九八七年に映画化してアカデミー最優秀外国映画賞を受賞した。

続く一九八八年にはビレ・アウグスト(一九四八―)が移民の貧しく厳しい生活を描いた『ペレ』(一九八七)でカンヌ国際映画祭パルムドールを受賞し、デンマーク映画が国際的に定評を得るようになる基盤を作った。それを実証するかのように、同じ監督の『愛の風景』(一九九二)がカンヌ国際映画祭パルムドールを再度受賞した。

その後若手の監督が続出するのであるが、傑出しているのはラース・フォン・トリアー(一九五六―)である。斬新な手法で話題作を次々と製作し、一九九六年に『奇跡の海』でカンヌ国際映画祭グランプリを獲得、二〇〇〇年には『ダンサー・イン・ザ・ダーク』でカンヌ国際映画祭パルムドールを受賞した。トリアーは一九九五年に映画運動「ドグマ95」を仲間たちと始めた。「純潔の誓い」と呼ばれるように、手持ちカメラのみを使用してすべてをロケーション撮影で行い、照明効果を禁止するなど、映画製作上に一〇個の禁令を設けたもので、これによって極端に商業化したいわゆるハリウッド映画に対抗するミニマリスティックで新鮮な作風を目指した。トリアーの作品には必ずしもドグマ精神に従っていないものもあるが、トマス・ヴィンターベア（一九六九―）のカンヌ国際映画祭審査員賞受賞作『セレブレーション』（一九九八）、ロネ・シェルフィグ（一九五九―）のベルリン国際映画祭銀熊賞受賞作『幸せになるためのイタリア語講座』（二〇〇〇）、スサンネ・ビア（一九六〇―）の『しあわせな孤独』（二〇〇二）などがドグマ映画の代表的である。[注11]
ビアは『未来を生きる君たちへ』（二〇一〇）で二〇一一年にゴールデン・グローブ賞とアカデミー外国語映画賞をダブル受賞している。ちなみにビアは、『愛さえあれば』（二〇一二）のミュージカル版を二〇二〇年に完成させたが、コロナ禍のために初演が二〇二一年九月まで延期となっている。

注1　アンデルセン「あなたの知らないアンデルセン」シリーズは、『影』『雪だるま』『母親』『人魚姫』の四冊で刊行された。
注2　『即興詩人』に関しては、拙著の二冊『森鷗外の翻訳文学』と『森鷗外　文化の翻訳者』を参照。
注3　詳しくは、村井誠人監修『デンマークを知るための68章』36章を参照。

注4　シリーズの完訳は、セシル・ボトカー『シーラスシリーズ』全十四巻を参照。
注5　邦訳は、ヤンネ・テラー『人生なんて無意味だ』を参照。
注6　詳しくは、『世界文学大事典』第5巻「事項」の「デンマーク文学」、前掲『デンマークを知るための68章』34、35章、ならびに百瀬宏・村井誠人監修『世界の歴史と文化　北欧』、第四部「北欧の文化」第一章「文学・演劇」「女性文学の隆盛　デンマーク文学事情」などを参照。
注7　ポントピダンについては、『ノーベル賞文学全集3』を参照。
注8　カレン・ブリクセンの『七編の奇譚』は、イサク・ディネセン『ピサへの道』七つのゴシック物語Ⅰ、『夢みる人びと』七つのゴシック物語Ⅱと題されて邦訳がある。
注9　デンマークの音楽については、前掲『世界の歴史と文化　北欧』第四部「北欧の文化」第四章「音楽」、前掲『デンマークを知るための68章』41、43、44章などを参照。
注10　ニールセンの自伝は、カール・ニールセン『フューン島の少年時代』として二〇一五年に邦訳が刊行され、ニールセンの音楽への手引きともなっている。
注11　デンマークの映画については、前掲『世界の歴史と文化　北欧』第四部「北欧の文化」第五章「映画」、前掲『デンマークを知るための68章』46、47章などを参照。

第6章　デンマークの教育・福祉と日本との接点

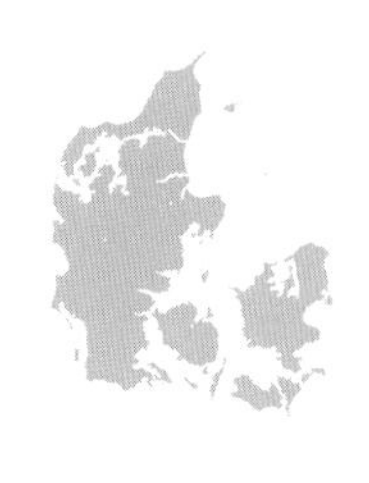

岩倉使節団が描いた日本の近代化と教育

明治新政府が欧米各国に派遣した岩倉使節団についてはⅡ部で触れるが、教育問題を重視していた使節団は、デンマークの教育制度について調査を行っていた。使節団の公式報告書としては『米欧回覧実記』が知られているが、それ以外にも、使節団の理事官たちが書き記し、関係各省の大臣たちに提出された膨大な量の報告書があった。それらは「理事功程」と呼ばれたが、デンマークを扱っているのは、文部省の田中不二麿の依頼によって新島襄が調査し報告したデンマークの教育制度についての「理事功程」のみである。

使節団がデンマークを訪れたのは一八七三年四月だったが、新島は一八七二年にワシントンで発行された「教育監督官年次報告」のデンマークに関する項を訳して下準備をしたうえで、使節団より一足早く七二年の九月にデンマークを訪問、調査を行った。新島が特に興味を抱いたのは、デンマークのフォルケホイスコーレ（国民高等学校）の制度だった。そこでは授業が講演の形でなされて教科書はなく、試験制度もなくて教師と生徒の間に緊密な関係が築かれる。密度の高い授業が行われながらも、歌を歌う時間が組み込まれるなどしていて生徒は疲れることがない。けれども新島は、記述こそしているものの、実際にフォルケホイスコーレを訪れることはなかった。

教育問題に関する理事功程のうち、デンマークに関する部分は第十五巻に収められているが、新島を派遣しておきながら、デンマークの学校教育に関する規則が翻訳紹介されるだけの無味乾燥な報告になってしまっている。それらの規則に対するコメントも、他の西洋諸国における教育制度との比較もなければ新島のデンマーク教育一般に対する意見もとられていない。米欧視察後の使節団は特にフランスの教育制度に興味を示していたので、新島のデンマークにおける観察は割愛された可能性がある。

報告は、コペンハーゲンには学費が有料の学校、無料の学校、食事も服も与えられてすべてが無料の慈善学校の三種類があることから記述される。以下、七歳から十五歳までの子どもを学校に入れる義務があること、一週間の授業数、課目、教育委員会、校長、教員の給料のことなどが述べられている。

日本では七二年八月、岩倉使節団の海外滞在中に学制が制定されていたが、これは教育制度の枠組だけで、学校教育の目的や組織の組み立て等、具体的な方策はいまだに示すことができないでいた。岩倉使節団は、旅程が進むほどに、学校教育が日本の近代化にとっていかに重要な役割を果たすか、理解を深めていった。国民国家建設の目的と学校教育の内容との間にダイナミックな相互関係があるのを発見していったのである。日本は天皇親政の枠内で近代化を達成しなければならない。学校制度もそうした国の要請に従うべきだという判断から、宗教教育の意義が表面に浮かび上がってきた。

田中不二麿が報告した理事功程は、間接的とはいえ学制改革の基盤になり、やがて七六年の教育令発布に連なり、さらには、教育が国の近代化を促進するために利用され、神道教育がそれをいっそう加速する役割を担わされるようになるのである。

フォルケホイスコーレ

新島が既に一八七二年に注目していた「フォルケホイスコーレ」(国民高等学校)の制度だが、このデンマーク独自の成人教育は、生徒がみな歌唱集を持っていて、集まる機会があれば歌い出す寄宿制の学校、と前章で紹介しておいたものである。牧師ニコライ・フレデリク・セヴェリン・グルントヴィ(一七八三—一八七二)の理念に基づいて開校されたが、グルントヴィが当初抱いていた構想とは多少別の形で普及していくようになった。グルントヴィは、北欧神話に基づくロマン主義的な歴史観と民族観から、生き生きとした国民意識を育成すべく、国民すべてを対象に王立のアカデミーを建設して、そこでデンマーク的な国民教育を行おうとしていたのであるが、賛同者の国王クリスチャン八世が一八四八年に死去したことで不発に終わってしまった。しかし、彼の構想を支えていたクリスチャン・フローア（一七九二－一八七五）が、住民の半数がデンマーク人だったドイツとの国境地帯シュレースヴィヒにおいて、デンマーク国民意識を形成させようとする政治的動機から、四年前の一八四四年にデンマークで最初のフォルケホイスコーレをレディングに既に設立していた。そしてさらに二十年が経過し、デンマークが対プロシア・オーストリア戦に敗北し、シュレースヴィヒを失うに至って、新しい国境線のすぐ北に位置するアスコウに新たなフォルケホイスコーレが設立された。その間五一年にフューン島のリュスリンゲでは教育者クリステン・コル（一八一六－一八七〇）が民主的な基盤に立ったフォルケホイスコーレを構築し、宗教的な民族意識を呼び覚ますというより、むしろ民主的な連帯意識、都市に依存しない農村の自助・自立意識を育てる方向を示していた。六四年の敗戦以後、農業生産が次第に上昇するに伴ってデンマーク農民の政治意識と発言力も高まり、フォルケホイスコーレは積極的な役割を果たすようになったのである。協同組合の結成にも反映されているように、一人一票という採決時の平等の原則など、フォルケホイスコーレの理念は国民の間に深く浸透していった(注1)。

前述の新島襄が興味を抱いたのは、こうしたフォルケホイスコーレの姿だった。やがて、内容に多少問題はあったにしろ内村鑑三が一九一一年に行った講演「デンマルク国の話」とその記録の出版等を通して、北欧デンマークに対する関心が日本国民の間に広がっていくにつれ、デンマーク農業に関する著作も書かれ、農場経営の実態を見学すべくデンマークを訪れる日本人が出てくるようになった。農業を通じてフォルケホイスコーレとの出会いが生じたのである。その一方で、宗教的な観点からフォルケホイスコーレの理念を高く評価したのが賀川豊彦（一八八八―一九六〇）だった。

デンマークの宗教教育と当時の日本

デンマーク聖書学校の校長カール・スコウゴー＝ピーターセンは、内村の講演と同じ年の一九一一年に日本を訪れ、日本の諸宗教の指導者たちに直接インタヴューすることで日本宗教の現状を把握し、宣教の可能性を探ろうとした。仏教キリスト教の各宗派、民間信仰から無教会主義の内村鑑三、早稲田大学の大隈重信から東京市長尾崎行雄まで、およそ宗教と何らかの形で関わっていた著名人たちと対話と論戦を繰り広げて慌ただしく帰国した。その通訳を務めたのが長年日本で宣教を行っていたイェンス・ウィンテル（一八七四―一九七〇）だった。インタヴューの記録と日本人指導者たちの印象記は日本滞在と同年に『現代の日本から』と題されて出版されたが、その中で、スコウゴー＝ピーターセンが日本の宗教家の中でいちばん印象が深かった者としてあげていたのが内村鑑三と賀川豊彦だった。

賀川は一九二〇年に出版した自伝的小説『死線を越えて』が世界的ベストセラーになり、その余波で行った一九二五年の世界旅行の途中で、五月にベルリンからデンマークを訪れた。たまたま一九二一年から一時帰国して牧師活動を行っていたウィンテルと再会し、ウィンテルを通訳にして講演を行ったほか、彼の案内でデンマーク各地のフォルケホイスコーレを見学する機会を得た。そのときの感銘を賀川は「デンマークの印象」と題する紀行文に記している。以後賀川は、北欧への賞賛を募らせていくが、戦後の一九五〇年にもデンマークを訪れて、学校、教会、協同組合等を視察するだけではなく、精力的に講演も行っていた。

ちなみにウィンテルは、スコウゴー＝ピーターセンの著作とは別個に、『現今の宗教心と問題点』という表題の英文小冊子をこれも一九一一年の秋に教文館から出版し、日本国内の宗教的混乱について語っている。さらに、賀川がデンマークを訪問した一九二五年には、その献身的な活動を讃えて、『虐げられた者たちの友、賀川―彼の生涯、活動、思想の素描』と題するデンマーク語の著作をコペンハーゲンで発行している。日本では未紹介であるが、日本とデンマーク間交流の好例なので記しておく(注2)。

デンマークの宗教と教育への興味と関心は、賀川だけではなく、逓信省の技官であった松前重義（一九〇一―一九九一）も抱くようになった。内村が主宰していた聖書研究会に参加していた松前は、内村から聞いたデンマークの話に興味を持ち、ドイツに留学していた一九三四年にデンマークを訪れる機会を得た。話に聞いていた以上にグルントヴィの理念が国民教育と農業に行き渡っているのに感心し、松前は各地のフォルケホイスコーレを訪問した。このときの強烈な印象が後に固い信念にまで発展し、一九四二年に、後に東海大学となる専門学校を創設したのである。

現在のホイスコーレ

二〇二〇年一月現在デンマークでは七三のホイスコーレが公認されている。伝統的な呼称であった国民高等学校の「国民」を意味するフォルケが省略され、自由に誰でもいつでも参加できる制度になっている。筆者の住むヘルシンゴー（エルシノア）にあるホイスコーレは、International Peoples College（ＩＰＣ）という名称で知られているが、デンマーク各地に散在するホイスコーレには日本からの留学生も少なくなく、春と秋の長期コース、夏の短期コース、いずれも以前と比べて種類が多様になっている。政治、社会、文化、宗教、芸術各部門のテーマが選ばれてコースが組まれるが、スポーツ、映画、デザイン、リズム音楽などに人気があるようである。けれども、流行に左右されることが多く、経済的な基盤が不安定なこともあって経営の難しい学校があり、浮き沈みがある。

北欧と「社会福祉」

「社会福祉」というと、日本では北欧の代名詞のように思われているような気がするが、社会福祉は英米独仏をはじめ、南欧でも日本でも実践している。しかし、方策と規模、徹底度に差があり、北欧の中でも、細部を比較すれば、それぞれの国が特徴を示しているのである。

平等の思想を旗印に、さまざまな理由で困っている人々を救い最低限の生活を保障するだけではなく、国民全体が安心して生活できる福祉国家を建設しようという思想は、第一次世界大戦と第二次世界大戦の間にヨーロッパで生まれたが、その実現に向かって本格的な取組みがなされたのは、戦後になってからである。イギリスでは、「揺り籠から墓場まで」のスローガンのもとに、生涯にわたる社会保障の構築が試みられたが、「平等」の解釈を徹底させ、当初の理想を現実に近づけてきたのが北欧諸国で、デンマークは常にその先頭に立ってきた。

デンマークの社会福祉の変遷

一九二四年に社会民主党が政権を握ったデンマークでは、三〇年代に女性の教育大臣ニーナ・バングが一連の社会改革を推進していた。そして戦後、社会民主党が再び国政の主導権を握った五〇年代から六〇年代に社会福祉制度の基礎が固められ、特に一九五六年に制定された国民年金制度は、画期的な出来事であった。その後徐々に女性が労働市場に進出するようになり、共稼ぎ世帯が増大するに伴って、家庭に残された子どもたちの世話をするための施設が必要となり、すべて無償の学校教育以外に、社会保障の枠が広げられることになった。国民誰でも教育を受ける機会と可能性が与えられるシステムが確立されたうえに、保育園、幼稚園、課外教育施設、青少年クラブ等が開設され、すべて平等の原則のもとに運営されるようになった。同様に、子どもたちの世話ばかりではなく、病人たち、老人たちを世話する制度も、同じイデオロギーに基づいて自治体の課題として整えられていった。

経済成長期に行われた一連の社会福祉制度関連の事業を、その後さらに拡張、改善するためには増税が必要となったが、失業率が六〇年代半ばには二パーセント以下まで下がり、実質賃金の上昇率が高かったため、国民は消費税等の導入に積極的だった。社会保障制度から受ける見返りを歓迎していたのである。こうしてデンマークの福祉制度は、「連帯」の精神にのっとって健全な成長を遂げていった。同時に、福祉制度を支える各分野での雇用者数が飛躍的に増加し、社会全体の経済活動が盛んになったが、当然のことながら、国民年金から失業保険、医療、教育、文化各方面での支出が膨張の一途をたどることになった。(注3)

デンマークの社会福祉制度の現状と課題

デンマークの福祉に関する以上のような基本的情報を確かめておいたうえで、ここではそれを補う意味で、デンマーク在住の筆者が実際の現状と日々感じている印象を書き留めておきたい。

デンマークも含めて北欧は、福祉国家のモデルとなってきている。六〇年代には、学費無料、医療費無料、老後は安心、その代わりに税金が高い、でも十分に見返りがある、という標準的な理解でデンマークの社会福祉が語られ、半ば偶像化されてきた面があった。見学のために日本からもツアーが組まれてモデルのノウハウが学ばれてきた。さらに、医療・厚生・教育の部門だけではなくデンマークの福祉制度は多岐に渡っており、市民講座などが充実し、理想的な図書館の設備があり、文化活動が盛んで、スポーツも奨励され援助されるなどしていて、これらも原則として無料である。「社会福祉」の概念に関してデンマーク人と日本人との間に微妙なズレがあるように感じられるのは、こうした福祉の及ぶ範囲の理解に差があるためだと思われる。

デンマークの福祉制度の中核を成す厚生の部門だけを見ても、当然のことながら周囲の状況に合わせて流動的に変化を続けてきており、固定したイメージで語ると判断を誤りかねない。現状と政策の追いかけごっこが延々と続いているのである。

例えば、従来の集団対象の老人ホームから一転して、急速な高齢化が進んだ一九九〇年代には個室の老人ホームを多数建設し、やがて、施設よりやはり自宅がいいという声が上がると二四時間体制の在宅ケアに重点が置かれるようになり、二〇〇五年前後からは高齢者住宅と介護型住宅が次々と建てられている。その結果、選択肢が増えるからよいようなものの、新築、改築のたびに設備費とそれに伴うシステム改編に要する出費がかさばって福祉予算へしわ寄せが行くのは免れず、結局誰が経費を払うかの議論になっている。また、一部の介護に対して「自払い」を求めるような事態が生じ、公共・無料のはずのサービス分野に有料サービスが紛れ込み、払える者と払えない者との間に格差が生じているのである。それだけではなく、経済的に余裕のある「払える者」へのサービスが削減される、といった影響まで出てきて、議論は止まる所を知らない。おまけに、集団のホームを廃止して個人の「住宅ケア」にしたため、介護人が訪れるとはいえ、一軒あたりに費やされる時間が分単位で測られ、要介護者の孤立感、孤独感が問題視されている。さらに、介護の不備を補うためにボランティアが手助けをして急場をしのいだりすると、自治体がその分の支出を節約したりする事態が生じ、ボランティアの悪用が指摘されている。一部の施設や機能を民営化にする傾向があるが、これも公共予算の経費節約が目的である。(注4)

一方、介護やサービスを担当する側に支払われる教育費と人件費も増大する一方で、これも予算削減の目標に必ず取り上げられている。サービス向上のための詳細なマニュアルが作成されたり、いかに能率よく仕事をするかの講習が開かれたり、要介護者間の移動を早めるために小型車を導入したり、日本製のロボットを導入したりと、ありとあらゆる手段が用いられているが、増大する高齢者人口に対応できる介護人の数の確保ならびに予算の捻出は最大の難問になっている。

福祉制度は国庫と公共予算に余裕があってはじめて維持できるのである。二〇二〇年一月のデンマーク統計局の調べによれば、年金、介護等、国民の厚生のために当てられる国庫支出が四三・七パーセント、医療関係が一六・四パーセントを占め、合わせて六〇パーセントを超えている。それでもまだ足りないのである。この事実は福祉制度を云々する時に肝に銘じておくべきである。

次に、福祉制度の大事な柱の一つである国民年金について簡単に触れておこう。と言っても、人口の高齢化に伴い、以前は受給できるのは満六十五歳と決まっていた制度が徐々に修正され、複雑になってきている。現行の決まりでは、細かく説明すると煩雑になるので、一応六十五歳六か月で受給としておくが、例えば一九五五年七月から六二年までに生まれた者は満六十七歳、六三年から六六年の間に生まれた者は満六十八歳にならないと受給できない。そこまでは法定化されているのであるが、以後に関しては順次決定することになっている。将来デンマークでは、七十二歳になっても国民年金が受け取れないことになるかもしれない。

それとは別に、健康状態その他の事情から、早期に年金を受け取れる制度があるのだが、これも、誰が受給する資格があるのか、激しい肉体労働をしてきて疲弊した者が優先的になるのか、肉体労働でなくとも、体力の消耗が激しく労働市場で活躍が望めない者がいるのではないのか、誰がそうした判断を下すのか、といった議論が持ち上がっている。

さらに、評価を下す機関を設置する費用、働けなくなった者が決定を待っている間の手当はどうするのか、決定に不服な場合はそれを吟味する機関の設置が必要になる、そんなことでは官僚主義の機構ばかりが潤って、その費用はすべて年金予算から取られてしまうではないか等々、当分の間議論は尽きそうにない。

福祉財源をいかに振り分けるかというのは大問題で、国会のレベルから地方自治体、医療機関の各レベルで激しい議論が繰り返されている。周囲からの政治的圧力も盛んで、高齢者問題全国連盟による高齢者福祉、がん協会によるがん患者支援とがん研究への予算確保などのロビー活動をはじめとして、福祉予算をめぐる活動が活発に行われている。

端的に言えば、税金の使い方に、市民が直接働きかけているわけである。税金は国に使われるものではなく、自分たちのために使うものとして理解されている。そのため、ロビー活動が功を奏しデンマーク社会で注目の集まった分野に比較的多額の予算が注ぎ込まれるが、その分ほかの分野は削られてしまうことになる。

もう一点、医療機関の非能率の要因として看護師の不足がずっと叫ばれてきていることを指摘しておきたい。公立医療機関の労働環境が厳しいために転職したり、私立の専門病院やクリニックに転勤してしまったりしているのが現状で、事態は悪化をたどっている。また医師に関しても、公共の医療機関では事務の仕事に時間を取られて研究や診療に没頭できないという理由から、私立の専門病院へ移ったり、私立と公立の病院で兼任したりしている。ここでも、前述の要介護者の「自払い」と同様に、裕福な患者が待ち時間の短い私立専門病院で自腹を切って優先的に治療を受けるという状況となっている。

日本と同様に、デンマークでも禁煙の動きが活発化している。その理由の一つには、生活習慣病患者の増加による医療費支出の上昇がある。税金をめぐる議論でも、喫煙者による呼吸器系疾患治療のための医療費とたばこ税による税収について繰り返し議論が続いている。ちなみにデンマークは、女性の喫煙者数が人口比率でヨーロッパ最多である。また、若い人たちが喫煙を始めないように、紙巻きたばこの価格を跳ね上げる提案が行われ、議会で可決されて二〇二〇年四月から実施されたが、税収入へのこだわりと低所得層への配慮で結局妥協となり、わずかな値上げに落ち着いた。それでも、二〇二〇年八月現在で、二〇本入りのタバコ一箱が日本円に換算して一〇〇〇円、諸税を合計した税率が八〇パーセントを超えている。喫煙者へ向けられる社会の目は厳しいため、電子タバコや噛みタバコに切り替える者が出ているが、前述の医療費と税収についての議論は当分の間続きそうである。

ここまで見てきただけでも、デンマークの福祉制度は完璧ではなく、内から眺めればさまざまな問題がある。それらを先行例と見なして学べるものは学び、日本の福祉制度の整備に役立ててはいかがであろう。(注5)

「ヒュッゲ」と「幸福度」

ここで、昨今しきりに耳にするデンマークの「ヒュッゲ」について書いておきたい。ヒュッゲとは何か説明しろと言われたら、その本質は、ユーモアと笑いと余裕があり、幸せ感あふれた雰囲気、と言えるだろう。通常、家族や友人、親しい仲間たちとテーブルを囲み、ろうそくの灯りのもとでビールやワイン、温かいものを飲みながら楽しく談笑する場面が想定されている。けれども一つ指摘しておきたいのは、これは何もデンマーク独自のものではなく、「温もりのある団欒」は世界共通で、それを表現する言葉が異なっているにすぎないということである。デンマークの製品が関連しているならともかく、「ヒュッゲ」はいささか商業ベースに乗せられて誇大評価されているようなので、あえて書き記しておく。「今ヒュッゲしています」と声に出すよりは、穏やかな団欒の中にあって、ふと笑みがこぼれるような満足感が「ヒュッゲ」なのである。参考のために、北欧各地の「ヒュッゲ」に相当する語を原語で示しておく。

hygge（ヒュッゲ・デンマーク語）、mysig（ミュースィ・スウェーデン語）、koselig（コーセリ・ノルウェー語）、lämpöä（ランペ・フィンランド語）、そして英語ではcosy（コージー）。

ところがこのヒュッゲは、内にこもって排他的なところがあり、デンマーク人は外国人をなかなか仲間に入れようとしない。外国人居住者に対して開放的で容易に受け入れてくれるかどうか、各国で意見を求めたInterNationsの最近の調査では、デンマークはランキングの下から二番目だった。(注6)

これも神話化されているきらいがある「デンマーク人は世界でいちばん幸せな国民」という国連の持続可能開発ソリューションネットワークによる「世界幸福度報告評価」も、当たり前だと思っているのか、デンマーク人はさして気にしていないようである。もっとも、二〇一九年春のレポートでは、フィンランドに抜かれて二位に転落してしまったが、別に落胆する様子もなく、それこそまさに余裕があって幸せな証左なのかもしれない。ちなみに日本は、幸せ度の世界ランキング五八位だった。レポートはある程度計測可能なデータをもとにしてのランキングで、あくまでも幸福をめぐる外部的な枠の話であり、実際に人々が幸福と感じているかどうか、そもそも幸福とはどんな状態を指すのかは不問のままである。

いささか唐突で独断的に聞こえるかもしれないが、一般的にデンマーク人は周りがなんと言おうと気にしない国民で、基本的にみな徹底した個人主義者であり、それぞれが自分で判断して好き勝手に生きているので、幸せな国であっても平均寿命が高い国には決してならないだろう、というのが筆者の予測である。乞叱正。

自転車大国デンマーク

いちばん高い地点でも海抜一七〇メートルしかない国土が平坦なデンマークは、自転車人口の多いことで知られている。デンマークの国民が自転車を好むのは、以前は健康志向の指標とされてきていたが、地球の温暖化が天候異変を起こすようになっている現在は、健康のためのみならず、温暖化を助長する汚染物質その他の温室効果ガスを排出する自動車の利用を減らしたいからである。それればかりではなく、自動車のタイヤがビニール袋やペットボトル以上にマイクロプラスティックの発生源となっていることが判明して糾弾されている中、環境に優しい交通手段として自転車の効用に新たな注目が集まっている。

こうした動向に対応するような形で、都市部での自転車専用レーンの整備と拡張が行われ、場所によっては自動車線の数を減らしさえしている。また、郊外にも自転車専用道路の網の目が張られるようになってきており、空気を汚染せず、しかも自然の中を移動して健康によい移動、ならびにレクリエーションの手段としての自転車が推奨されているのである。

ちなみに、前述の「ヒュッゲ」に欠かせなかった団欒中にろうそくを灯す習慣も、二酸化炭素を排出するという理由で敬遠されるようになってきている。

すべては健康のため。国の政策としてばかりではなく、「福祉社会」を維持し徹底させようとする姿勢がデンマーク国民の間に浸透していると言えよう。

注1　フォルケホイスコーレについては、『世界の歴史と文化　北欧』第5部　人々と生活、吉武信彦『日本人は北欧から何を学んだか』第1章、『デンマークを知るための68章』39、40章、『日本&デンマーク―私たちの友情150年』などを参照。

注2　賀川豊彦とウィンテルについては、カール・スコウゴー＝ピーターセン『デンマーク人牧師がみた日本　明治の宗教指導者たち』長島要一訳・編注を参照。

注3　デンマークの福祉制度の変遷については、Søren Hein Rasmussen & Peter Yding Brunbech: Velfærdsstaten. *Danmarkshistorien.dk* ならびに Ove Kaj Pedersen: Velfærd: Ideen, der ændrede vores samfund totalt. Forskerzonen, *Videnskab.dk* などが参考になる。

注4　デンマークの高齢化対策に関しては http://denstoredanske.dk/Samfund%2c_jura_og_politik/Samfund/Offentlig_social_forsorg/plejehjem などが参考になる。

注5　前掲『世界の歴史と文化　北欧』第5部　人々と生活、『日本人は北欧から何を学んだか』第3、4、5章、『デンマークを知るための68章』50、51、52章も参考になるのであげておく。

注6　出典については、https://www.internations.org/press/press-release/expat-insider-2019-survey-reveals-the-best-and-worst-destinations-to-live-and-work-in-2019-39881 を参照。

第7章　デンマークの食文化と日本との接点

デンマーク式酪農に学んだ日本の酪農

食文化の一歩手前の食糧生産の段階で、デンマークは農場経営と酪農の分野で日本と接点を持っている。

明治初期以来、北海道ではアメリカ式の大規模な農業を導入する試みがなされていたが、日本人の好奇心と努力の結果、次第にデンマークを手本にした酪農が広まるようになっていった。「北海道酪農の父」と呼ばれる宇都宮仙太郎（一八六六―一九四〇）は既に一八八七年にアメリカで酪農を学んだ経験があったが、一九〇六年に再びアメリカを訪れた折にデンマークの酪農について知る機会を得た。そして一九二一年に娘婿の出納陽一をデンマークに酪農留学をさせる。

出納はコペンハーゲン近郊の牧場に夫人といっしょに住み込みで酪農経営、バターやチーズの製酪を実習して学んだ。さらにデンマーク酪農発展の背景に協同組合が発達していること、国民高等学校などでの教育が充実していることを知った。出納は酪農実習のかたわらロスキレの国民高等学校でフォルケホスコーレの創始者グルントヴィについても学んで、後年『デンマーク復興の父グルントウィ伝』を著している。三年余の滞在を終えて札幌に戻った出納は、すぐに牧場を開いた。やがて一九二六年には宇都宮が北海道製酪組合連合会を創設し、これが後に雪印乳業（現雪印メグミルク）に発展していくのである。

一方で宇都宮は、黒澤酉蔵（一八八五―一九八二）とともに北海道庁長官にデンマーク農業の導入を進言し、それがようやく実を結んで、一九二三年にデンマークから二家族が抜擢されてデンマーク式の農業と生活を実地に指導するため五年契約で来日することになった。モーテン・ラーセン一家は現在の札幌真駒内に、イミール・フェンガー一家は現在の札幌琴似農試公園に土地を与えられて、混合農業を行った。ラーセンとフェンガーの招聘農家には多くの訪問客が訪れ、また彼らも本業のかたわらに講演や実地指導をするために北海道各地を訪れてデンマーク式農法、酪農について知識を普及した。ちなみにフェンガーは一九二八年に帰国した後も、二度にわたって再来日し、山形県新庄市ほかで指導を行うなどして、日本の酪農推進に尽くした。こうして人材の育成が行われる一方、北海道酪農に関する図書類の出版が相次ぎ、戦前の日本ではデンマーク農業に対する関心が高まった。その結果、北海道のバターとジャガイモの販路が広がるばかりではなく、愛知県碧海郡（現在の安城市）にも国民高等学校と農業経営との関わりからデンマークを模範とする地域が開拓された。(注1)

バイキングとスマーブロ

現今ではごく普通に、さまざまな料理が一同に並べられたものを各自が皿に取り分けて食べ放題ができる料理を「バイキング料理」と呼んでいるが、それは日本だけでの現象である。それも、北欧料理だけではなく、和食、洋食、中華いずれか、もしくはその組合せのときですら同じ呼称を用いるようになっていて、元来の意味は忘れられているようである。

図16　オープンサンドイッチ

通称「オープンサンドイッチ」は北欧でごく普通の料理で、日本で対応するものはご飯の上にいろいろな具をのせて食べる丼物であろうが、オープンサンドイッチは、普通黒パンもしくは白パンにバターを塗ったものに肉類をスライスしたものとか、魚の酢漬けやフライや燻製、卵やエビ、レバーペースト、チーズ等々さまざまな具を、キュウリやトマト、オニオン、レタスほかの新鮮な野菜のスライスを添え、それにピクルスとか、ドレッシングをかけて供するものである。バラエティーに富み、色彩豊かな料理である（図16）。好みに応じて組み合わせればいいので、パンにハムだけでもよいし、あれもこれものせて豪華な山盛りになることもある。何に何を付け合わせるかは、伝統的に決まっている。これをデンマークでは「スマーブロ」（Smør（バター）Brød（パン））と呼んでいるが、今でもコペンハーゲンのスマーブロ専門のレストランでは、ランチの時間になると、豪華な山盛りのオープンサンドはもちろんのこと、それに加えて「温かい料理」と称して、大きめなミートボールとか、ハンバーグに目玉焼きをのせたものとか、さらにはデザートまで、すべて一品ずつ皿にのせられたものがいくつも並べられる。こうしてテーブル狭しと陳列されたものの中から好きなものを客が選ぶのだが、その総体を指して「スマーブロボード」（スマーブロのBord（テーブル））、スウェーデンでは「スメルゴスボード」と呼んでいる。

そして、この料理に合う飲み物としてスナップスというジャガイモ焼酎とビールがお勧めなのである。

北欧の華やかで代表的な料理の一つであるこのスマーブロボードを日本で初めて提供したのは、東京の帝国ホテルだった。一九五八年のことである。もちろん日本風にアレンジされていたようだが、「インペリアル・バイキング」と名付けられた。なぜ「バイキング」なのかについては、中世北欧の海を席巻したバイキングがすぐに思い浮かぶが、当時バイキングを描いたアメリカ映画が上映されていたからだとか、諸説あるようである。そもそも帝国ホテルが日本風スマーブロボードをレストランで出すようになったのは、その前年の一九五七年にＳＡＳスカンジナビア航空が東京とコペンハーゲンを結ぶアラスカのアンカレッジ経由北極航空路便を開設したからだった。ここで留意すべきは、SASの国際線の飛行機がすべて名前を付けられ、その苗字に当たる部分がみなバイキングである点である。これは二〇二〇年からコペンハーゲン―東京便に就航する新型機でも同様で、既に「ヤルマー・バイキング」、女性の名前を付けた「インゲボー・バイキング」などが決まっている。つまり、一九五七年以来、東京にはバイキングたちが空路続々と到来していたのである。翌年に帝国ホテルで導入されたスマーブロボードに「バイキング」の名が冠せられたのは、的を射た選択だったと思われる。(注2)

ノーマ：新しいフードカルチャー

さて、こうして徐々に紹介されてきている北欧デンマーク料理とガストロミーだが、近年、一躍世界の注目を集めるようになった。その頂点に立っているのが、日本でも話題になっているレストラン「ノーマ」の活動である。ノーマ（Noma）は、Nordisk（北欧）のNo、Mad（料理）のMaを組み合わせたもので、極めて意欲的なコンセプトに基づいている。既に随所で紹介されているので繰り返さないが、二〇〇四年にシェフのレネ・レゼピとクラウス・マイヤーが提唱した「ニューノルディックキュイジーヌ」は、デンマーク映画世界の「ドグマ95」を踏襲したかのように、一〇項目のマニフェストを起案して新しいフードカルチャーを定義づけた。もっとも、徹底したオーガニック志向は、当時は斬新だったが現今では広く普及しているし、地元の新鮮な食材をシンプルに調理して味を損なわないようにするのも当然のことに思われる。季節が感じられるように調理するというが、これも別に新奇なことではない。筆者が注目するのは、料理そのものはもとより、盛り付け、選ばれた食器、見た目の優美さの底流に、日本料理からの影響が見られることである。それがぎこちない模倣ではなく、ごく自然にデンマークのキュイジーヌに溶け合っているのは、日本とデンマークのフードカルチャーの基盤に同質性があるからであろう(注3)。

伝統的家庭料理

デンマークのグルメの世界では、二〇一九年現在ミシュランの星三つのレストランは「ゲラニウム」一店だけだが、世界のレストランランキングでは、何かと話題の多いシェフのレネ・レゼピが率いるノーマが常に上位を占めている。けれども、普通のデンマーク料理にはスマーブロボード以外にも家庭料理があることを忘れてはならないだろう。環境・食品省が二〇一四年に行った何がいちばんのデンマーク料理か、という国民的なアンケートで、見事一位に選ばれたのが「パセリソース添え豚

図17　パセリソース添え豚バラ肉のグリル

バラ肉のグリル」だった（図17）。オーブンまたはフライパンでカリカリに焼いた豚バラ肉のスライスに、バターと小麦粉、ミルクで作るホワイトソースによく刻んだパセリとレモン汁を加え塩胡椒で味付けしたものをかけ、茹でたポテトを付け合わせるだけのシンプルで美味しい料理で、人気のほどが知れる。

もう一つデンマークで好まれているのが、「フリカデーラ」と呼ばれる伝統的なミートボールである（図18）。これは家庭の数と同じだけさまざまに違った味があると言われ、付け合せもバラエティーに富み、キュウリやビートの甘酢漬けを添えて黒パンといっしょに食べたり、ブラウンソースと茹でたポテトで食したりする。フリカデーラには、牛肉、仔牛の肉、豚肉などの代わりに魚肉を練って作る「魚フリカデーラ」もあり、これもよくランチに出てくる。デンマークのフリカデーラは、スウェーデンのミートボールに比べるとかなり大きい。

図18　フリカデーラ

一昔前は、ことフリカデーラに関しては、日本と同様に「おふくろの味」と言ったものだが、おふくろがママになって惣菜を買うようになってからは、「おばあちゃんのレシピ」が話題にあがるようになっている。（注4）

高木ベーカリー

デンマークの食文化を日本との接点で語るとき、必ず浮上してくるのが日本でデニッシュペストリーを広めた高木ベーカリーの創業者高木俊介（一九一九―二〇〇一）の名前である。高木は、一九五九年に欧米視察に出かけた際に、デンマークでデニッシュペストリーと出会い、その見事な味のパンの再現に挑んだ。そして努力の甲斐があって一九六二年に完成、以後、デニッシュペストリーは徐々に評判が高まり、一九六七年には被爆建物であった旧帝国（三井）銀行広島支店を改築して旗艦店「広島アンデルセン」を開業した。さらに一九七〇年に東京に進出し、「青山アンデルセン」を開店してファッショナブルな街のシンボルと呼ぶにふさわしい店とした。それを記念して、伝統的なデニッシュペストリーに加えてアンデルセンのオリジナルペストリーを開発、その代表的なものが筆者の大好物でもあるカルフォニア産の大きなチェリーののった「ダークチェリー」である。高木がずっとお手本にしてきたデンマークの「原作」を日本風にアレンジするどころかそれを凌ぐまでになっているデニッシュペストリーは、日本のパン職人の技術と心意気を示すだけではなく、日本とデンマーク間の文化交流を象徴する画期的な出来事でもあった。

以来、アンデルセンは国内ではフランチャイズ店「リトルマーメイド」などを展開して販路を広げ、さらに国外にも進出してデンマーク起源で日本産のデニッシュペストリーを世界の味とした。二〇〇八年からは本拠地デンマークにも出店し、本場の味を受け継ぎ進化させたパンとペストリー

をデンマーク人に提供しているのである。まさに快挙と言うべきである。(注5)

また、事業が拡大し今ではアンデルセングループとなっているが、パンやペストリーなどの「物」だけではなく、デンマーク人の心、前述した「ヒュッゲ」を日本で伝え広めたことでも、功績がある。逆に、アンデルセングループは日本人の心の象徴と言ってよい桜の木を二〇〇本、童話作家アンデルセンの生誕二〇〇年を記念して二〇〇五年にコペンハーゲンの港に臨み「小さな人魚姫像」のあるランゲリニエ公園に寄贈した。

食のハイブリッド

日本の寿司が世界中に普及するようになり、デンマークでもさまざま形態やレベルで寿司屋が開店するようになった。箸を使えるのが当たり前になっている若い世代が生まれる一方で、デンマークのスマーブロを寿司のコンセプトで提供するSMUSHIなる料理が、コペンハーゲン市中心部の目抜き通りストロイエにあるロイヤルコペンハーゲンの隣に位置する「ロイヤル・スムシ・カフェ」で出されるようになった。

握ったご飯の代わりにバターを塗った長方形の黒パンを使い、その上に和食からインスピレーションを受けた具をスマーブロ風にアレンジしてのせたもので、日本とデンマークの料理の伝統が驚くべきハイブリッドの結果をもたらしている。ちなみにお店は現在「スムシ」と改称し移転している。
同じような食文化のハイブリッドは日本でも見られる。筆者は日本滞在中に、海苔を巻いたおむすびにローストビーフをはさんだものが売られているのを見たことがある。また、おにぎりにいろいろなものをはさんだライスバーガーというものがあることも人から聞いた。これらを特にデンマークと結びつけるわけではないが、スムシ登場の舞台裏にも共通した、世界食文化のグローバル化があることを指摘しておきたい。それを支えてきているのは、伝統や習慣にこだわらず、「何でもあり、好きな時に気に入ったように選択可能」な状況を求めて適合しているスマートフォン世代である。

注1　国立公文書館編『日本とデンマーク　文書でたどる交流の歴史』に、日本の酪農に関して簡潔な記事がある。
注2　バイキング料理については吉武信彦『日本人は北欧から何を学んだか』第2章、オープンサンドイッチについては村井誠人監修『デンマークを知るための68章』55、57章を参照。
注3　「北欧と日本　響き合うガストロミー」https://www.asahi.com/and_w_rc2019/about.html などでデンマークのガストロミーが紹介されている。
注4　デンマークの食事については、前掲『デンマークを知るための68章』54章を参照。
注5　デニッシュペストリーと高木ベーカリーについては、『日本&デンマーク　私たちの友情150年』ならびに一志治夫『アンデルセン物語』を参照。

Ⅱ部　日本・デンマーク文化交流史から

第8章　幕末維新期まで

日本とデンマーク間の幅広い文化的交流の原点は、やはり両国間に結ばれた修好通商条約であろう。それ以前にも、既に見てきたようにさまざまな接触があったが、条約締結後は、現在に至るまで、歴史の変遷に影響されながらも、実り多い交流がなされてきている。

本章ではまず、条約締結に至るまでの過程を概観したうえで、明治維新期に始まった公的な訪問からその後の各方面における両国間の交流の紋様を素描してみたい。

日本・デンマーク修好通商航海条約

二〇〇年以上鎖国していた日本の開国は、一八五四年三月、ペリー来航の翌年にアメリカと締結された和親条約によって揺るぎのない事実となった。同様の条約が列強諸国と結ばれ、さらに、修好通商条約に改定されて米・英・露・仏・蘭五か国との間に一八五八年に調印された。ポルトガルとプロシアは一八六〇年に同じ条約を日本と締結した。

デンマークでも日本との条約を望む声が次第に高まっていた。コペンハーゲンの商業組合が政府に要望書を送るまでに至っていたのだが、日本とはまだ接触のないデンマークは、オランダの外交官に条約交渉を依頼せざるを得なかった。その結果、一八六〇年に来日したオランダ領事デ・ウィットが全権交渉者に任命された。幕府はベルギー、スイスと交渉を進めていながらも、デ・ウィットには、日本国内は攘夷などで情勢が不安なことを理由に交渉を拒んでいた。確かに一八五九年以来、攘夷の波は荒れていて、ヒュースケンなどの外国人だけではなく、大老井伊直弼が一八六〇年に殺害され、デ・ウィットの交渉相手だった老中安藤信正も一八六二年に襲われた。失敗に終わったデ・ウィットの交渉は、後任者ポルスブロックに引き継がれた。


列強五か国と結ばれた一八五八年の修好通商条約には、既に五九年に開港されていた長崎、箱館、横浜以外に二港、さらに江戸と大坂の二市を開き、外国人が住めるようにするという規定があった。攘夷の嵐の中、特に横浜近辺で外国人に対する襲撃が相次ぎ、不穏な空気が漂っていたため、幕府は、条約に規定のある二港の開港と二市の開市の時期延長を求めて、西洋に使節団を送って交渉することにした。これが竹内保徳を団長とする使節団で、文久二年、一八六二年一月に江戸を出発、船と汽車を乗り継いでパリ、ロンドンほかの各地を訪問して、五年間の延長を取り付けた。

使節団滞欧中のニュースはコペンハーゲンにも届き、在オランダのデンマーク大使がハーグで使節団に会うよう、指令を受けた。修好通商条約の締結に向けて、予備交渉を行うことが目的だった。オランダの仲介により、日本とデンマーク両国の要人が史上初めて直接会見する機会が訪れた。けれども、使節団の多忙なスケジュールの合間に行われたごく短時間の接触は、デンマーク側の準備が不十分だったことも災いして成果を得られず、条約締結の交渉はさらに延期を余儀なくされてしまった。

準備不足の核心には、交渉に当たったデンマーク大使をはじめとして、デンマーク側には日本という国に関する知識と情報量の貧相さがあったように思われる。それに引き換え、日本のデンマークに関する知識は、オランダの書物から得た当時最新の成果を取り入れてまとめ上げられた世界地理に関する箕作省吾の基本図書『坤輿圖識(こんよずしき)』(一八四五)、世界状勢を著述した箕作阮甫の『八紘通誌』(一八五一)と確実に進化していた。またオランダ語で書かれたものばかりではなく、アメリカ人宣教師ウェイが中国語で書いた文献を邦訳した『地球略説』(一八五六)、さらに徐継畭の『瀛(えい)環志略(かんしりゃく)』(一八六一)も流布しており、開国から攘夷と、激しく揺り動かされていた日本で、世界の中の日本を見つめようと将来を模索していた読者に読まれていた。竹内使節団のデンマーク知識もこれらによっていたのは疑いない。

『瀛環志略』中のデンマーク記事で興味深いのは、結語にある次の指摘である。「デンマークの領土は小さい、だから権力と軍事力の点では列強とは比べ物にならない。けれども何里にも延びているバルト海の首根っこの所(ハムレットで有名なクロンボー城のあるヘルシンゴー(エルシノア)

の港）をデンマークは押さえており、そこであげる税の利益を独占している。そうすることでデンマークは高々と顔を上げ、立派な国になっている。一国が強いか弱いかを、国土の大きさで判断できるだろうか。」とあるこの最後の部分は、やがて対プロシア戦争に敗退するデンマークにも、明治維新後の日本人にもあてはまる示唆に富んでいる。列強に取り囲まれるようにして開国した日本は、文字通りの小国だった。けれども、小国でも立派な国になれるのである。（注1）

ハーグでの竹内使節団との交渉が不首尾に終わった後、デンマークの条約交渉の動きは二〇か月ほど停滞していたが、一八六四年二月にスイスが日本と修好条約を締結したことが知らされると、デンマーク国内での日本熱が再燃した。特にデンマークの産業界がスイスに先を越されて発奮した。

翌年コペンハーゲンでホルガー・フォスの『現代日本の商業的政治的状況』と題する的確な分析に基づいた小冊子が発行された。東アジアにおけるデンマーク海運業を例にとり、既に競争相手の列強諸国が獲得している日本入港の権利なしには、非常な勢いで増加しつつある日中間の物資の輸送をデンマーク船は引き受けることができず、それがために他の契約も競争相手に取られてしまう恐れを指摘して、デンマークにとって、日本と修好通商条約を結ぶか否かは死活問題であると強く訴えた。

対日貿易を望む声がデンマークで高まってきたところへ、幕府がフランスを仲介としてイタリアとの修好通商条約交渉を行うとの情報が届き、デンマークは以前にも増して積極的に条約交渉を推進するようになった。一八六四年に対プロシア・オーストリア戦に敗北した後、デンマークは国としてのまとまりを保ち再興を期すためにも、国際舞台での成功をなんとしてでも勝ち取りたかった。日本での条約交渉は、新任の在日本オランダ公使ポルスブロックがあたることになった。一八六五年六月にポルスブロックは幕府に書簡を送るが、国情の不安を理由にさらなる条約締結は行わないとの返答があった。翌年には薩長同盟が成立し、日本の国情は確かに緊迫し、幕府は瀬戸際に立たされているような状況だったが、そんな中で八月一日にベルギーが修好通商条約を締結した。さらに、八月二五日にはイタリアとも修好通商条約を結んだのだった。

既に一八六一年から条約交渉を進めていたデンマークが先を越された形になり、幕府の行為をポルスブロックは激しく非難した。不幸にも六六年八月二九日に将軍家茂が二十歳の若さで亡くなった。それが条約交渉に影響することを恐れたポルスブロックは、交渉を重ねた末に、幕府はデンマークと条約を締結するが、国が喪に服しているため多少の遅延がある、という回答を得た。ところが、五十日が経っても連絡がなく、ポルスブロックが催促したところ、幕府は一二月二一日に三名の全権交渉者を任命したことを知らせ、三十日にようやくオランダ領事館において会談が開かれた。デンマークとの条約はベルギーならびにイタリアと結ばれた条約をもとに日本語、オランダ語、フランス語で作成されることで合意され、細部が点検されたうえで、ついに翌一八六七年一月に調印されるに至った。本格的な交渉が始まってから、十四日しか経過していなかった。

徳川慶喜が将軍に任命されたのが一月十日、日本・デンマーク修好通商航海条約はその二日後に調印された。これが徳川幕府の調印した十一番目の条約であり、また最後の条約となった。

デンマーク側の批准書を携えてスイス人デ・バヴィエーが七月に到着し、条約批准書は、源(徳川)慶喜の花押が押されて一〇月一日に発効の運びとなった。錦の袋に入れられた批准書はコペンハーゲンに送られた。到着後の一二月、日本との修好通商航海条約締結が国王の名において公示された。日本では外国奉行が一〇月二日、神奈川、長崎、箱館、兵庫四港の奉行に宛て、日本がデンマークに対して開港した旨の通達を送った。

デ・バヴィエーは一一月一日に在横浜デンマーク領事に任命されたが、日本国内では歴史的な事件が起こっていた。一一月九日に徳川慶喜が大政奉還を申し出、翌日許可されたのである。慶喜は同月一九日に将軍の地位から退くことを懇願、将軍職は一八六八年一月二日に廃止された。さらに翌三日には、前年二月一三日に即位していた睦仁天皇による天皇親政が公布されるのである。時代は激しく動いていた。(注2)

駐箱館デンマーク領事

修好通商航海条約締結後、開市開港されていた箱館、横浜、長崎、大坂、兵庫の各地にデンマークの領事が置かれた。このうち、箱館領事を務めたジョン・ヘンリー・デュースのみがデンマーク人で、駐日デンマーク領事第一号となった。

明治維新前後は日本にとってだけではなく、外国領事にとっても混乱期で、各国箱館領事の間で相互に兼任あるいは代理の事務をとっていたものが少なくなかった。デュースの場合は、弟のエドワード・ヘンリーも箱館に住んでいて、事態を複雑にしていた。デュースは外交官ではなく、貿易商人として箱館に住み着いた名誉領事であった。土地の貸借や地税滞納、商取引上の問題など数多くの裁判事件を引き起こし、裁判に明け暮れたような半生を箱館で送った。事業もあまり芳しくいかなかった様子で、恐らく最後まで独身、故国に帰ることもなく、滞日二十八年の末に、一八八九年、表記が変わって函館となった町で五十五歳の生涯を終えた。後任が任命されることもなく、函館に置かれたデンマーク領事は、デュース一代で終わった。(注3)

カーステンセンの江戸訪問

デュースは日本における最初のデンマーク人領事だったが、一八四六年に浦賀沖に達したビレ提督の後、開国前の日本を訪れたデンマーク人が二人いた。いずれも若き海軍士官で、外国の海軍に修行に出ていた間にたまたま日本を訪れたのだった。一人はここで扱うカーステンセン、もう一人が後述するスエンソンである。

ウィリアム・カーステンセン（一八二九―一九〇九）はコペンハーゲンにあるチボリ公園の創設者ゲオルグ・カーステンセンの弟で、海軍将校になる道を選び、ロシア海軍に在籍していた期間中にムラヴィヨフ率いるアムール艦隊の所属となり一八五九年の日本来航に加わった。日本はまさに攘夷の最中で、劇的な事件に巻き込まれた体験を、帰国後の一八六三年にコペンハーゲンで『日本の首府と日本人』という表題のもとに発行した小型な本で語った。それには「あるロシアの旅行記より」と副題がついているが、これが、表題に「日本」がつき、日本についてデンマーク語で書かれた最初の本となった。

同書は実は、ロシアの海軍医で箱館に長く滞在し、ロシア領事ゴシケヴィッチと知己だったヴィシェスラフツォフの大著をデンマーク語に抄訳したものだった。カーステンセンは彼と親しくなり、日本の首府、江戸を訪問した際、ほとんどいっしょに行動をしたという。カーステンセンは、自分で紀行文を書く代わりに、親友の旅行記を翻訳したのだった。ヴィシェスラフツォフはムラヴィヨフ艦隊に同行して世界一周を果たした後、大部の旅行記『ペンと鉛筆で書かれた世界周航記、一八五七―六十年』を一八六二年に聖ペテルブルグで発行した。カーステンセンが訳したのは、「江戸から」と題された一章だった。ちなみに、江戸を日本の「首府」と呼んだのはカーステンセンで、ヴィシェスラフツォフではない。

ロシア使節プチャーチンが一八五三年八月に長崎を訪れて幕府に開国を迫ったのだが、既に七月に浦賀に達していたペリー提督に遅れをとった。翌年再び日本を訪れ、下田に達してディアナ号を津波によって大破されながらも、明くる五五年に日本と和親条約を締結することができた。箱館開港に伴ってプチャーチンは、さまざまな分野で日本人に指導を行える優秀な人材を領事として送り込む努力をし、その甲斐があって五八年にゴシケヴィッチが箱館に着任した。しかし、ロシアの南下に警鐘を鳴らしていた幕府は、ロシアとの国境問題を解決すべく努力していたが、プチャーチンにもゴシケヴィッチにも全権が与えられていなかったため、東シベリア総督ムラヴィヨフの登場となったのだった。

ムラヴィヨフのロシア艦隊は品川沖に一八五九年の八月から九月にかけて停泊し、交渉にあたったが、ムラヴィヨフの非妥協的で威圧的な態度と幕府の時代ばなれをした形式主義が災いし、不首尾に終わった。

横浜が開かれてまだ四か月しか経っていなかった。咸臨丸などが停泊していた江戸湾にロシア艦が入っていき、上陸を拒む日本の役人を退けて強引に江戸の町を訪れ、三田の大中寺を宿舎に選んだ。ロシア艦隊の旗艦上で、サハリン（樺太）に国境を定めたいムラヴィヨフが外国奉行らと交渉を行っている間、ヴィシェスラフツォフらは江戸の町に繰り出したが、たちまち群衆に追跡され、投石までされた。艦隊のロシア人士官たちが横浜で襲撃されて殺害され重傷を負う事件も発生し、攘夷の嵐の中、列強諸国の領事たちも幕府を激しく非難するに至って緊張が高まったが、ムラヴィヨフは、報復は控えて国境問題の交渉を再開した。しかし、交渉は難航し、日本との国境問題に列強が関与してくることを恐れたムラヴィヨフは交渉を断念し、なんの成果もないままに江戸湾を去った。こうした経過とはまったく離れたところで、ヴィシェスラフツォフらは、当時は茶店あり庭園あり小川ありで江戸の庶民の行楽地として知られ江戸百景の一つだった王子を訪れ、優雅な享楽のときを過ごしていたのだった。カーステンセンも参加していたかどうかまでは確証できないが、ともかく、開国直後の攘夷時代の日本を、カーステンセンは自分の身体で投石の雨を浴びながら体験し、ヴィシェスラフツォフの原著の一章に注釈を加えながらデンマークで紹介したことになる。(注4)

榎本武揚と赤松則良のデンマーク訪問

前述の竹内使節団が西洋に送られた一八六二年、いち早く西洋文明を吸収するという目的で、一団の学生がオランダに派遣された。そのうちに榎本武揚と赤松則良がいた。

既に長崎で航海術を学んでいた榎本は、ハーグで航海術の他に砲術、造船、国際法を学んだ。幕府がオランダに注文してあった開陽丸が完成すると、榎本はこれに乗って一八六七年三月に帰国、すぐにその船長に任命された。幕末維新期には官軍に反抗して幕府の艦船を集結、フランス人将校の助力を得て箱館に航海し、五稜郭に立てこもって西洋理念に基づいた共和国を樹立したが、粉砕されたことは周知のとおりである。ところが榎本の人格と国際的経験が新政府の一翼から高く評価され、新生日本の将来に欠くべからず人材と見なされ、明治政府の要職を歴任した。オランダから帰国後、海軍学校の教授となり、横須賀造船所で軍艦の建造に専念して中将にまで昇進した赤松ともども、旧幕臣でありながら明治日本の近代化に多大な貢献をしたのだった。

既に二人がオランダ留学中の一八六三年の冬に、ドイツとデンマークの間でかねてから紛争の的になっていたシュレスヴィヒ公国とホルシュタイン公国の帰属問題がハーグの士官の間で話題になっていた。当時プロシアでは、ビスマルクが独裁政治を行っていた。デンマーク国王クリスチャン九世が、一一月にデンマーク王国のみならずシュレスヴィにも適用される新憲法に署名し、ホルシュタインも包含するとの見解を発表したことで、プロシア国内に反デンマークの声が高まった。ビスマルクはこの好機を利用して、国境問題を一挙に解決しようとして、一八六四年二月にプロシア・オーストリア連合軍を送りこみ、デンマークに侵攻した。勇敢に戦ったにもかかわらずデンマークは大敗し、一〇月にウィーンで調印された和平条約により、シェレスヴィヒとホルシュタインを失う結果となった。

榎本は、近代戦がいかに戦われるのかを実際に目にして確かめたかった。そこで赤松を誘い、戦争術の体験実習を行うために、観戦武官として前線まで出かけて行くことにしたのである。若いオランダの下士官が二名、日本人に同行した。オランダ人下士官の提案で、榎本と赤松はいかにも日本人らしい格好をすることになり、自家製の日本風の上着にラシャのズボン、大小二本の刀を差し、長靴を履いてラシャの帽子をかぶった。背中にはオランダ製の皮のランドセルを背負うという、ものものしくてチグハグな出で立ちだったため、この二人はどこへ行っても注目の的になった。

まずプロシア側から戦闘を観戦した榎本たちは、デンマークのデュビョル要塞が陥落し、和解交渉が始まったのを機に、次の戦闘はデンマーク側から見ることにして、ひとまずハンブルグまで戻り、リューベック経由でコペンハーゲンに赴いた。そこから、参謀本部のアブラハムソン中佐の引率で、デンマーク軍の本営のあったソンナーボー要塞まで船で行った。

同地で榎本たちは「ザ・タイムズ」の特派員の目に留まり、戦争という殺人行為の技術を遠路はるばる見学に来た「猿面をして顔の色が木の幹のような小男」たちが、「礼儀正しく知性にあふれて」いたと記事に書かれていた。当時最強と見なされていたデンマークの装甲艦ロルフ・クラーケ号を見学し、前線にも達して説明を受け陣地を見て回った榎本たちは、短い滞在であったが、学ぶことの多い観戦の旅となった。二人はデンマークの新聞でも紹介され、デンマークで記事になった最初の日本人となったが、この「猿面」たちが日本の近代化の過程で近い将来に果たすべき役割については、誰ひとり予測できるものはいなかった。(注5)

スエンソンの日本訪問

カーステンセンはロシア海軍で修行をしたが、同様にフランス海軍に所属して東アジアの海域を訪れたのがエドゥアルド・スエンソン(一八〇五―一八八七)である。一八六六年の八月に横浜に到着し、翌年の夏に日本を離れるまでの一年間、兵庫、大坂、長崎などを訪れ、幕府倒壊期の不穏でありながら躍動していた日本の政情を、弱冠二十四歳の新鮮な目でつぶさに観察する貴重な機会を持った(図19)。

スエンソン滞日中にデンマークは日本と修好通商条約を結ぶのだが、フランス海軍の内部にいたスエンソンには知る由もなかった。六八年、デンマーク海軍に復帰後、日本滞在中の体験を『日本素描』と題してデンマークの雑誌『世界の国々から』に連載した。その背景には、前述の大北電信会社の設立を軸としてデンマークで急速に高まっていた日本に対する興味と関心があった。

スエンソンの日本体験は過分にフランスの対日外交政策に彩られていた。長州、薩摩を支援していたイギリスと対抗してフランスは幕府の後押しをしており、その対立は駐日両国大使、パークスとロッシュとの間の拮抗に顕著に現われていた。それがまた幕末日本の政情に少なからぬ影響を及ぼし、やがて現実化する幕府の崩壊、さらには近代日本の設計にまで長く尾を引くことになる。スエンソンは東アジア海域におけるフランスの活動に参加し、徳川幕府最後の月日をフランス側から観察した。一年ほどの滞在だったとはいえ、スエンソンは歴史的な場面を次々と目の当たりにする機会に恵まれたのである。

図19　スエンソンの肖像
（デンマーク王立図書館所蔵）

スエンソンが日本の政情を見る目は、当然のことながらフランス公使ロッシュの視点に影響されていた。けれども、勤務の合間を縫っては横浜とその郊外ならびに兵庫、大坂、長崎の町の暮らしを見て回ったが、そこにはスエンソン自身の、若くて好奇心に満ちた目が光っていた。出会った日本人を描写するスエンソンの記述は、先入観から解き放たれていて新鮮だった。それでほかの史料には見られない記録も少なくない。それでも、ただ印象を書き連ねていたわけではなく、予備知識もあった。スエンソンは、比較的長期間日本に滞在し自らの体験を自分の言葉で綴る日本印象記を書いた最初のデンマーク人となった。

スエンソンの『日本素描』は、『江戸幕末滞在記』の表題で筆者が既に全訳し解説を行っているので、詳細は同書を参照していただきたい。[注6] ここでは、そのハイライト部分を紹介するだけにする。

横浜に到着し、海から見るとまったくヨーロッパ風に建てられていた町並みの遠景に、雄大なる富士山が控えていた。これがスエンソンの日本第一印象だった。

「富士山は絶えず変貌している。その豹変ぶりは移り気な女同様、太陽の位置、大気の状態、季節などの具合で一日のうちにも何度か容姿を変えて現われる」

上陸してすぐ「お山」(フランス山)に向かった。横浜の南の斜面に位置していたフランスの軍事施設の俗称で、泉水の流れる庭園があり、富士山を背後に控えた横浜の絶景が眺望でき、広々とした江戸湾が見渡せた。スエンソンは「お山」がすっかり気に入っていた。横浜の町の様子を欧州区(外国人居留地)と日本区(日本人居住地)に分けて描写し、日本区はさらに詳しく、弁天、本町、岩亀楼、郊外と、それぞれ別個に語られる。漁師と職人が住む弁天、本町は人形の家のようで、開け放たれた戸の中で繰り広げられる家庭生活が手に取るように分かる。歓声を上げて跳ねまわる子どもたちはみんな黒い目が笑っていて、頬も赤く、白い歯が光っている。健康そのもので生きる喜びに輝き、魅せられるほどに愛らしい。スエンソンは横浜の町に恋をしているかのように記述していく。表に面した部屋に売り物を並べている店で、スエンソンはカタコトの日本語をすぐに覚えた。岩亀楼は横浜の遊郭である。べったり厚化粧をした、生き物というより蝋人形のような若い女たちが格子窓を隔てて座っていた。

「日本人は誇り高く自尊心の強い性格で、侮辱に対して敏感、一度受けたらそう簡単には忘れない」として「ハラキリ」(腹切り)の話になるのだが、さらに、礼儀正しさが単に形式的なものではなく、ましてや「追従だとか無自覚で偽善的な思考の徴候」ではさらさらないことを、次の例で示している。

「日本人は身分の高い人物の前に出た時でさえめったに物怖じすることのない国民で、私はかつて、まだ年若い青年が、大名や御老中と、同僚や自分と同じ身分の者と話すのと同じ率直で開けっぴろげな会話をする場面に居合わせたことがある。青少年に地位と年齢を尊ぶことが教えられる一方、自己の尊厳を主張することも教えられているのである。」

また、日本人の特徴として、「ユーモアがあってふざけ好きなのはすべての社会階層に共通する」と指摘し、さらに、悪習が二つあり、「一つは酒にすぐ手を出すこと、もう一つはあまりに女好きであることである。が、これは上流階層、役人と官僚の一群のみに言えることである」としている。

そして日本の女性を評価して、「日本女性は男たちの醜さからほど遠い。新鮮で色白、紅みを帯びた肌、豊かで黒い髪、憂いをふくんだ黒い瞳と生き生きとした顔は、もう美人のそれである。背は低いが体格はよく、首から肩、胸にかけての部分は彫刻家のモデルになれるほどだ。また手足の形が良く、びっくりするほど小さい。彼女たちを見ていると、愛情過剰な日本人の男の気持ちが分かり、寛容になってしまう」とも言って、日本女性礼賛を惜しまない。

日本人の清潔好きを論じて公衆浴場の話になり、次のような言及をしている。

「仕事が終わってから公衆浴場に行かないと一日が終わらない。そこで何時間も湯を浴び、下着を洗って、おしゃべりの欲求を満足させる。浴場は日本のクラブで、そこでは顔見知りの一人や二人に必ず会うことができる。天井の低い、蒸気であふれた部屋に入ると、生まれた時とほとんど変わらぬ格好をした裸の男女が何人も、地面を掘って石で固めたところへ湯を張った浴槽に浸かっている。麻縄が境界線として使われていて、二つの浴槽、男と女を隔てるのに衝立を使うことなどほとんどない。男も女もお互いの視線にさらされているが、恥じらったり抵抗を感じたりすることなど少しもない。」

スエンソンはここで混浴に関する興味深い議論を展開し、従来の西洋人の視線に避難を浴びせる。

「日本女性は慎み深さを欠いているとずいぶん非難されているが、西欧人の視点から見た場合、その欠け具合は並大抵ではない。とはいえ、それは本当の倫理的な意味での不道徳というよりは、むしろごく自然な稚拙さによる。日本女性が自分の身体の長所をさらけ出す機会を進んで求めるような真似は決してしないことは、覚えていてよいだろう。風呂を浴びるとか化粧をするとかの自然な行為をするときに限って人の目をはばからないだけなのである。それだけでもはなはだしく慎み深さを欠いているかもしれない。けれども私見では、慎みを欠いているという非難はむしろ、それら裸体の光景を避ける代わりにしげしげと見に通って行き、野卑な視線で眺めては、これは淫らだ、叱責すべきだと恥知らずにも非難している外国人の方に向けられるべきだと思う。」

西欧人の倫理の不在がここでは鋭く洞察されていて、スエンソンの面目躍如たる観察である。一八六六年一一月の横浜の大火で外国公使館のほとんどすべてが消失した。やがて、スエンソンの知らぬうちに翌年初頭に日本とデンマークの間で修好通商条約が締結された。横浜の復興はめざましく、二、三か月のうちに元の町が蘇生した。その間に孝明天皇が没し、明治天皇が即位していた。

一月の半ばにフランス軍事顧問団が到着し、顧問団の指導のもと、日本の兵隊を西欧の訓練された兵士並みにしようという試みがなされた。スエンソンが親交を結んだブリュネ、デュ・ブスケなど、卓抜な士官を揃えていた顧問団だったが、これらフランス士官たちが優秀と見なした日本人の生徒は、「役人たち、あるいは武器の扱いに慣れていた日本人ではなかった。畑からまっすぐに引っぱって来られたような粗野で無教育な農民のうちに、士官たちはいちばん物覚えがよく、実際面でもいちばん物分かりのよい生徒を見出したのだった」とスエンソンは書いている。一般人を対象にした徴兵制に基づく近代軍隊の萌芽は、フランスを手本にした幕府内部にもあったのである。

二月になると、大君慶喜の弟で十五歳になる昭武がフランスの郵便船に乗ってヨーロッパへ発つために横浜に到着した。パリ万博に出席した後、長期間フランスに滞在して教育を受けることになっていたが、六八年に幕府が倒壊したために、帰国を余儀なくされた。スエンソンは、出発前の昭武を儀礼訪問したロッシュ公使とローズ提督に随伴し、昭武を至近距離で観察する機会を得た。服装のみならず、棒のように身を固くして座ったままで視線を上げようとしなかった若きプリンスの立ち居振る舞いを鋭く描写している。

慶喜が将軍に就任して以来、いずれ西洋各国の公使、提督を招いて、当時国政の中心が置かれていた大坂において儀礼的な集会が開かれるだろうとの噂が流れていたが、天皇崩御のことなどもあり、遅れていた。日本第二の都大坂はいまだに西欧人に開港されておらず、スエンソンはその日が訪れるのを楽しみにしていた。

三月の初めにとうとうロッシュ公使の謁見希望が受け入れられ、フランス艦隊のフリゲート艦が出航した。これもまだ開港していなかった兵庫経由でロッシュ公使が大坂入りし、大君と面会して幕府の行政機構改革などの緊急問題について友好的に直接交渉を行っていた間、フリゲート艦はいったん横浜に戻っていた。そして再び兵庫に達したところで、大君がローズ提督とも個人的に知己になりたいとの希望を表明し、大坂城へ招待した。随行武官を三名連れて行くことになり、その一人にスエンソンが選ばれたのだった。こうしてスエンソンは、提督と公使が将軍と出会う場面に居合わせることになる。そしてそれを記述した唯一の西洋人となった。

スエンソンが親しくなった日本の外国奉行たちとその通訳たちの描写、大坂城内部の見事な装飾の描写、さらに、謁見前に紹介された老中たちの容貌と食事の模様など、興味深い記述が残されているが、ここでは割愛し、『江戸幕末滞在記』を参照していただくことにしたい。

客人たちは長い柱廊と広間をいくつも抜けて謁見室に移った。そこで公使によって、一人ひとり大君に紹介される。スエンソンは大君慶喜を次のように活写している。

「大君上様は体格が良く、年は三十二ぐらい。顔立ちも整って美しく、少し曲がっているが鼻筋が通り、小さな口にきれいな歯、憂愁の影が少し差した知的な茶色の目をして、肌も健康そうに日焼けしていた。普通の日本人によくあるように目尻が上がっていたり頬骨が出ていたりせず、深刻な表情をしていることの多い顔が、時折人好きのする微笑で生き生きとほころびた。頭の中央は例によって剃り上げてあり、後部の髪を束ねて丁髷にしてあった。中背以下であったが堂々とした体格で、その姿勢も十分に威厳があり、声が優しく快かった。まさに非の打ち所のない国王、という印象であった。」

この日の謁見は私的なものだったが、列強四か国の公使を招く前にこうしてフランス公使と会見したことは、既に幕府がフランスからの援助を期待していることを裏付ける行為として特記すべきである。

四月末、英仏蘭米の公使が大坂へ赴いた。各国が競い合うように豪華で大規模な随員の部隊を伴っていた。大君は、公使たちの大坂滞在中にそれぞれと二度ずつ会見することになっていた。一度目が私的な内謁見で、二度目は信任状を提出する正式謁見だった。慶喜は、政治的にも経済的にも国が危機に面していたにもかかわらず、西欧の慣習にのっとり、この外交の儀式を遂行した。五月一日、フランス公使との内謁見の際に、ジュール・ブリュネ中尉が大君をスケッチする許可を得た（図20）。翌日の正式謁見の日は、能う限りの礼装をし、公使も提督もそれ以上は望めないほどの実に立派な行列を作って大君の宮廷へ赴いた。出迎えた外国奉行たちも皆礼服で着飾り、侍烏帽子を頭にのせ、空色の肩衣を着けて長袴をはいていた。信任状が大君に渡されると、フランス軍事顧問団が公使によって大君に紹介され、スエンソンらは提督によって紹介され儀式は無事に終了した。

図20　ブリュネのスケッチ
（『函館の幕末・維新』中央公論社、一九八八年より）

式典と並行して開市開港に関する交渉も進められ、その期日が一八六八年一月一日と定められた。フランス人の一行が淀川を下る間、フランス軍楽隊の演奏を聞きつけた町の住民が、川岸まで集まってきていた。スエンソンも含めフランス人はみな威厳をもって振舞っていたのだが、陽気な大坂っ子の目には笑いの種にしかならなかった。彼らの笑いの渦に巻き込まれながら大坂を去った、とスエンソンは回想記に記している。大坂には既に将軍の敵、薩摩の領主が大勢の部下を引き連れて到着していた。時代は大きく動きつつあった。

スエンソンは一度帰国した後、日本通としてティットゲンに抜擢されて一八七〇年に大北電信会社から派遣されて再来日し、第2章で触れたシッキの海底電信ケーブル陸揚げ許可の交渉に加わった。以後も着実に同社の発展に貢献し、一八七七年には取締役社長に就任した。(注7)

ノーマンの旅行記『横浜から江戸へ』

香港から上海の間に海底電信ケーブル線を敷き終わったトーデンスキョルド号は、一八七一年四月に長崎に到着した。けれども次の作業に使用するケーブル線の到着が遅れ、ひとまず横浜へ航海した。その機会を利用して、カール・ノーマン大尉（一八三九―一八九九）は、同僚の士官三人とともに日本の新しい首都まで二十四時間の旅行を敢行した。その紀行文が、七二年に『横浜から江戸へ』という表題で出版された。江戸は既に六九年に東京と改称されていたが、ノーマンの訪れた町はまだまだ古い江戸だった。ノーマンの紀行は、内容の密度に多少問題はあるものの、維新直後七一年の東京を描写していて貴重な記録である。

横浜―新橋間の鉄道はまだ建設中で、開通するのが翌七二年の一〇月である。ノーマンたちは馬車に分乗して出発した。頻繁に兵士たちが行き交い、維新直後の日本は緊張していた。廃藩置県の詔勅が出されるのがその年の八月になってからだった。兵士とはいえ、制服を着ているわけではなく、着物に刀を差し、履物も靴あり草履あり、長靴や高下駄を履いている者もいた。服も帽子も同様で、ちぐはぐで滑稽な格好をした兵士たちの中で、立派に制服を着ていたのが薩摩と紀州の兵士だった。髪をぼさぼさにしている人々も目についたが、断髪脱刀勝手令の出るのがその年の九月で、ノーマンはその過渡期の現象を写していた。

最初に訪れたのが芝の増上寺、次に愛宕山に上り、宿舎に決めてあった築地のホテルに立ち寄り、すぐ近くの浜御殿（浜離宮）に行き、屋敷を見学した。一つずつ見れば立派な家具が、まったく調和を欠いて置かれていた。まさしく文明開化期の混沌を絵に描いたような和洋折衷の内装だった。そこから東京のメインストリート、銀座と思われる繁華街に繰り出し、店員が百人以上もいる絹織物の店に入った。そうこうするうちに日が暮れ、屋台の「食堂」を物色し、銭湯が繁盛しているのを目にした。まだ街灯が設置されていなかった夜の町は真っ暗だったが、ノーマンは無事にホテルに帰り着いた。

熟睡した翌日、快晴の朝空にくっきり浮かび上がっていたのが、まだ雪におおわれていた頂上を朝日に輝かせている富士山だった。世界の各所で素晴らしい山をいくつも見てきたノーマンだったが、富士山の前に出るものなしと、完全に脱帽、言葉を尽くしてその美しさを称えている。

その日の目的地は浅草だった。舟で一度海に出てから隅田川を上っていった。浅草寺を見てから寛永寺に向かった。砲撃のあとがまだ残っていた。そこから日本橋を渡って築地のホテルに戻り、来た時と同じ東海道を通って横浜に帰着した。

結びに代えてノーマンは、開国後二十年の短期間に日本が遂行した改革を概観し、世界史上類のない一大進歩を果たした国として日本を誉め称えている。こうした改革を推進するにあたって優秀な外国人の専門家を招聘して指導に当たらせている日本政府の賢明さ、さらに、これも優秀な日本の青年を欧米に送って新しい知識と西洋文明の精髄を学ばせている努力を高く評価している。そして次のような予言をした。

「日本はこの先一、二世代のうちに、その国土の大きさに見合った、世界で最も繁栄し最も豊かな国の一つになるにちがいない。」

たしかに日本は一、二世代のうちに豊かになった。けれども、繁栄を小さな国土の枠内におさめておくことができずに領土拡張を目指し、大国の夢を抱いて太平洋戦争に突入し敗戦を味わったのだった。

岩倉使節団のデンマーク訪問

明治政府の西洋文化に対する基本的態度は、若き睦仁天皇が一八六八年四月に宣言した「五箇条の御誓文」中の第五条、「知識ヲ世界ニ求メ大ニ皇基ヲ振起スベシ。」に要約されている。これを号砲にして日本の近代化は明治政府のもとで推進されたのであるが、その中核は、尊皇攘夷からいち早く尊皇開国に踏み切っていた薩摩・長州の若い指導者たちに占められていた。しかし、西洋をモデルに日本を改革する動きは、既に五四年の開国以来、徳川幕府が徐々に進めてきていたことであり、問題は誰が主導権を握るかにあった。

そうした背景のもと、近代日本建設の指針を求めて西洋に大規模な使節団を派遣するという提案がなされた。また、一八七二年七月一日は、日本が西洋列強と結んだ条約の改正交渉ができる日と取り決められていた。そのため、日本を植民地扱いする「不平等」条約を改正すべく西洋諸国と交渉する使節団を派遣すべきだとの見解も出された。西洋をモデルに日本の近代化を促進するという点では合意していたものの、明治政府内では、内政外政の重点の置き方と優先の仕方においては、意見が対立していた。ともかく使節団の派遣が決定され、岩倉具視、大久保利通、伊藤博文、木戸孝允が参加、これが岩倉使節団の中核で、大隈重信、西郷隆盛、板垣退助は残留することになった。使節団は一八七一年一二月二三日、団員以外にも若い学生、五人の少女ら四二名が随行し、正副使の家族も加えて計一〇七名が蒸気船アメリカ号に乗って横浜を出発した。

そして一八七三年九月に、使節団は近代国家の成り立ちと組織および西洋文明を学ぶという使命を立派に果たして帰国したのである。

使節団帰国後五年の一八七八年、『特命全権大使　米欧回覧実記』が使節団の報告書として出版された。岩倉具視の随行員久米邦武が単独で出版したものであるが、使節団の公式記録と見なされている。格調高いカタカナ交じりの文語文で書かれた『米欧回覧実記』は、全五巻百章二一一〇頁からなる浩瀚な書で、日本人によって制作された多数の銅版画がイラストとして使われている。(注8)

『米欧回覧実記』中、デンマークに関する記述は第六十七巻に収められている。現代語に直せば、「国民一般が質朴で、生業に励み、度を超えた贅沢をしていない点では、ヨーロッパ随一である」と性格づけられたデンマークの章は、まず風土論に始まり、調査観察各項目の概要と、統計資料等が列挙される。それに続いて使節団の行動が日記体で記述されていくのである。

岩倉使節団が欧米に派遣されたというニュースは、既に一八七二年にデンマークに届いていた。「日本における文化革新についての覚書」という論文が雑誌に発表され、伊藤博文がサンフランシスコで行った英語のスピーチの要約も添えられていた。デンマークでは、使節団の訪問に先立って既に概要を把握していたのだった。コペンハーゲン到着前日の新聞は、使節団の構成員を報じている。既に帰国の途にあった木戸孝允と大久保利通の名がないのは当然として、途中で使節団に加わった語学の堪能な若い日本人たちの名が見える。

『米欧回覧実記』の記述は四月一八日から始まっている。金曜日、晴、気温は六度だった。

まず鉄路でロシアからベルリンを経て前日の夜半キールに達していた一行が、朝早くデンマークの「コールシュル」港に到着した。そこからまた汽車に乗り換えてコペンハーゲン駅に着くと、国王の代理としてユリウス・シッキが使節団を出迎えた。一行の総勢が十一名、当初のメンバーは八名のみになっていた。直ちにクリスチャンスボー王宮向かいのホテルに投宿した。シッキは、一八七〇年に大北電信会社の海底電信ケーブル敷設権獲得交渉のために公使として日本を訪れた人物で、明治天皇に謁見したこともある日本・デンマーク交流史上の功労者なのだが、『米欧回覧実記』では意外なほど影が薄い。

汽車による長旅の後、旅装を解く暇もなく一行は外務省を訪れた。当時はアマリエンボー宮殿内にあった。そこから星形の五稜郭にも似た要塞「海岸の砲台」、さらに、今は小さな人魚姫の銅像のある大桟橋ランゲリーニエンを見た後、近衛兵の駐屯地とその練兵場に至った。国王公園に隣接する練兵場で一行は近衛兵の訓練ぶりを見学し、「剛勇勇猛」ぶりを目撃した。次にそのすぐ隣にあった薔薇城、ローゼンボー城に向かった。建築王クリスチャン四世によって建てられたこの城は、一八三三年以後は現在に至るまで、王室所蔵の装飾品類を陳列する美術館として機能している。フレデリック七世の陶磁器類の蒐集は、内外に聞こえていた。

一行のコペンハーゲン見学のルートは、今でも参考になるので、観光案内のようになってしまう恐れがあるが、あえて簡単な解説も加えつつ記しておく。詳しくは『米欧回覧実記』第六十七巻を参照していただきたい。(注9)

・四月一九日　土曜日　晴　気温八度

午前中は予定がなく、ゆっくり休養をとった後、一行はすぐ近くのクリスチャンスボー王宮まで、盛装した御者に迎えられて馬車で出向き、国王クリスチャン九世に謁見した（図21）。岩倉大使が信任状を手渡した後、ルイーセ王妃にも謁見した。さらに、夕方六時から同じ王宮で晩餐会が催された。このとき以来、デンマーク王室は極めて親密な交流を日本と結んでいくことになる。その帰路で「芝居に招請」されたが、その晩の王立劇場の演目のほんの一部を途中から観劇するだけだった。演し物はフランスの軽喜劇をデンマーク語で演じたもので、大して感興はわかなかったであろう。

図21　洋装の岩倉具視
（*Illustreret Tidende*, 1873.4.17. より）

・四月二〇日　日曜日　晴

『米欧回覧実記』には一時半から歩いて博物館に至った、とその日の記事を始め、「美術館」「フレデリッキ、ガーデン」を訪れた模様を叙述しているが、実はこの日、現地の新聞によれば使節団員はコペンハーゲン市内各所に神出鬼没、めまぐるしく見学、見物してまわったことが知られている。使節団は恐らくいくつかに分かれて別行動を取っていたものと思われる。

使節団の一部はまずホテルから五〇〇メートルほどのところにあるトリニタティス（三位一体）教会で堅信式の様子を見学、そしてそのすぐ脇にある、クリスチャン四世建造になる円筒形の塔、ラウンドタワーの屋上に上り、コペンハーゲン市全域はおろか、遠くスウェーデンまで見渡せる眺望に感嘆の声をあげた。久米は同行していなかったと見えて、この記事は『回覧実記』にはない。

久米たちが歩いて行ったのは、民族誌学博物館である。日本関係の物件もかなりあり、大きく立派な駕籠まであった。幕末開国期に香港にいたデンマーク領事が博物館の求めに応じて日本で購入したもので、記録に kichiki 家のものとあるので、豊後国杵築（きつき）藩のことであろう。駕籠を含めて都合五十一点が持ち帰られた。ちなみに前述のシッキも日本滞在中に工芸品等を買い集め、後に博物館に売却していた。

その後、トーヴァルセン美術館に赴き、彫刻類を見学したが、記述はごく簡明になされている。そこから馬車で西の郊外に向かい、「フレデリッキ、ガーデン」で見事な庭園とすばらしい眺望に圧倒された。

晩の六時から、コペンハーゲン市民の招きで「電信会社」に赴き、社中で催された晩餐会に出席、会食の者が二百名もいた、と『回覧実記』は記しているが、使節団一行を招待したのはコペンハーゲン市卸売業者組合と大北電信会社で、場所は証券取引所だった。独特な塔のあるこの建物は、これも建築王クリスチャン四世が建造したものだったが、当時は証券取引所として使われていた。大北電信会社は、裏正面の一角を占めていたにすぎない。同じ建物にはプリヴァト銀行も本社を構え、デンマーク最大の企業とデンマーク随一の銀行が証券取引所に陣取るという形でデンマーク産業界の中核を形成していた。そしてその頂点に立っていたのが、既にたびたび言及してきているティットゲンだった。岩倉使節団のデンマーク訪問は、デンマーク産業界はもとより、デンマーク社会全体に活気を取り戻させようとしていたティットゲンにとって、またとない好機であった。大歓迎の裏でそのような思惑が働いていたことを、岩倉使節団はどこまで理解していただろうか。ティットゲンの名はおろか、晩餐会出席者のうちにデンマークの総理、外務の両大臣、コペンハーゲン市長、卸売業者組合の会長ほかの名士たちが含まれていたにも関わらず、それへの言及もない。

使節団の一行は全員洋装の正装であった。席はヨの字形に設けられ、料理はホテル・ダングレテールが受け持った。筆者の発見した同夜の盛況ぶりを描いたイラストに即して言えば、使節団の中心人物は正面奥、壁際の主賓席に席を取っていたに違いなく、その背後に立っているのは通訳であろう。壁には日本デンマーク両国の国旗が飾られている（図22）。

オーケストラが演奏する和やかな雰囲気のうちに次々とスピーチがなされ、天皇陛下に乾杯が捧げられて、両国の親善を祝った。それに応えて岩倉大使もデンマーク国王のために乾杯し、大北電信会社の日本における貢献とその意義を高く評価した。その後でティットゲンが英語で熱のこもった演説をした。興味深いのは、ティットゲンが、使節団は「小国デンマーク」から学ぶ点が少なくないであろう、と強調していた点である。ティットゲンの目には、日本のおかれていた状況が、

図22　証券取引所における晩餐会
（*Illustreret Tidende*, 1873.4.17. より）

一八六四年に対オーストリア・プロシア戦に敗れて国土を縮小されたデンマークと類似していると映っていたのである。

晩餐会の終了後、使節団は前日同様、王立劇場へ出かけているが、その記事は『回覧実記』にはない。演し物はバレエの名舞台、ブルノンヴィルの『ナポリ』だった。

ちなみに明治政府は一八八六年になってから、日本・デンマーク交流史の上でティットゲンの果たした役割を認識した証のように、勲二等旭日重光章を授与している。デンマーク人で日本の勲章を受章したのはティットゲンが嚆矢、同賞は外国の民間人が授与される最高の章でもあった。

・四月二一日　月曜日　晴　気温五度

午前中に使節団は海軍基地と造船所を見てま

わったが、どちらも特に記録することなし、と『回覧実記』には記されている。そこから海岸に出て砲台を見た。続けて、海峡がいちばん狭まる「ヘルシンコル」の税関が、十五年前まで港を通過する船から大砲の脅威のもとで税金を取り上げていたことを指摘している。「ヘルシンコル」はヘルシンゴー、英語名エルシノアで、ハムレットで有名なクロンボー城がある。

午後になって一行は外務省を訪れたが、純然たる儀礼訪問であった。それでも外務大臣は一行を盛大に歓迎して、同夜、舞踏会が催された。ちなみに外務大臣の名が「ルトン」と『回覧実記』に記されているのは誤りで、外務大臣はローゼンエアン＝レーンだった。

・四月二二日　火曜日　雪曇　気温五度

この日は正式な訪問の予定はなかった。にもかかわらず使節団の一行は、雪のちらつく町の中を忙しげに歩きまわっていた。現在では展覧会場として機能しているセントニコライ教会と、当時は「新広場」に面していて今では地方裁判所になっている「タウンホール」を見学した後で、王族の居邸のあったアマリエンボーを訪れた。『回覧実記』に掲載され「アマリンボルク」と説明されている銅版画は正しくなく、これは王立劇場のある「国王新広場」である。

この日別行動をとったと思われる使節団中の若いメンバーが二、三名、デンマーク人二人に付き添われて開会中の国会での討議ぶりを傍聴したことが現地の新聞で報道されていた。使節団はさらに王立図書館も訪問し、学識のある団員が一人、特に手稿のコレクションに並々ならぬ興味を示したことが報じられている。これは恐らく久米邦武であろう。しかし、省略されて『回覧実記』に記事がないのはそればかりではなく、コペンハーゲンで見学したいくつかの工場のこと、膠工場の社長の自宅に招かれて日本の高価な焼物の壺を披露されたことなどを現地の新聞は伝えていた。

・四月二三日　水曜日　美晴　気温二度

いよいよコペンハーゲンを後にし、使節団は次の訪問国スウェーデンに向かうべく、マルモー行きの郵便船に乗り込んだ。

『米欧回覧実記』中に見える岩倉使節団のデンマーク観は、一八六四年の戦争で敗れたとはいえ、海軍はまだ衰えておらず、強兵の名誉は欧州中に知れ渡っている、と極めて好意的で、さらにデンマーク人は強剛で、仕事に励み、国を愛し、不撓の精神があり、文武に秀でて質素で交際に信義があり、風俗も質素である、と一般化しつつ、そういう国民だからこそ、大国に囲まれながらも自主を全うしているのだ、と結論している。ここでは一八六四年以後にデンマークがおかれていた政治的軍事的状況が、一八五四年に外圧によって開国を余儀なくされた日本のそれに重ね合わされている。使節団は、大国の間に挟まれながらも強い小国として生き延び発展するデンマークに感銘を受けた。モットーは「強兵」「強剛で、仕事に励み、国を愛し、不撓の精神がある」国民だった。あまりにも一面的なデンマーク評価だったのだが、「富強ノ二字コソ眼目ナレ」と、「富国強兵」を呪術のようにして唱えながら西洋文明をくぐり抜けてきた岩倉使節団にとっては、それ以外の視点は定められなかったであろう。使節団はデンマークで（も）見たいものだけを見てまわった。国のいち早い近代化を目指していた明治日本のリーダーにとってはやむを得ない制約であった。使節団はそのように行動すべくあらかじめプログラミングされていたのである。

『米欧回覧実記』は事実上、一八七三年帰国後に明治政府の中核を成すに至った大久保利通と木戸孝允が敷いた政治路線のマニフェストの役割を果たすことになった。逆に言えば、大久保・木戸路線に合わない記述は割愛されているのである。

さらに『米欧回覧実記』は、デンマーク以外にもベルギー、オランダ、スウェーデン、スイスの小国に高い評価を与えていた。しかし、「小国」が日本のモデルになっていたのは短期間のことだった。『米欧回覧実記』の発刊された一八七八年には、大久保も木戸も既に世を去っていた。やがて八一年になると、国会開設と憲法公布の時期をめぐって政府内で意見が分かれ、岩倉具視と伊藤博文の旧使節団グループに大隈重信らが対抗したが、岩倉、伊藤の側が政争を勝ち抜いた。そして彼らは、西洋の文明度の高い「小国」ではなく、強い軍事国家プロシアを日本の将来にとって最適のモデルとして選んだのだった。伊藤は、日本の憲法が、国会開設に先立って天皇から臣民に与えられるように企図した。プロシア流の立憲君主制こそ、列強入りに遅れをとった国にふさわしい制度なのだった。「富国強兵」のスローガンを実現するためには日本の「プロシア化」が最も効率的だと判断されたわけであり、「強兵」が「富国」の前提とみなされるようになった。大国主義の幻想に囚われた近代日本がその後どんな道を歩むことになったかは、歴史が証人になっている通りである。

プロシアを選び「小国」を捨象して時点で、日本の政治家の視野からデンマークは消え去ってしまった。けれども、『米欧回覧実記』に描かれたデンマークとデンマーク人は日本人の心象に生き残り、もはや疑いようのないイメージとして次第に神話化していった。デンマークは「文明度の高い小国」、デンマーク人は「強靭で意志強固な民族」として記憶されるのである。

注1　拙著『日本・デンマーク文化交流史 1660-1873』第四章を参照。

注2　同じく第五章を参照。国立公文書館記念展目録『日本とデンマーク　文書でたどる交流の歴史』も参照。

注3　『日本・デンマーク文化交流史 1660-1873』第五章を参照。

注4　同じく第四章、ならびにヴイシェスラフツォフ『ロシア艦隊幕末来訪記』長島要一訳を参照。

注5　前掲『日本・デンマーク文化交流史 1660-1873』第四章を参照。

注6　E・スエンソン『江戸幕末滞在記』長島要一訳を参照。

注7　同じく『江戸幕末滞在記』のあとがきを参照。

注8　詳しくは前掲『日本・デンマーク文化交流史 1660-1873』第七章、ならびに拙稿「デンマークにおける岩倉使節団、「米欧回覧実記」の歪み」田中彰・高田誠二編『「米欧回覧実記」の学際的研究』所収を参照。

注9　久米邦武編『特命全権大使　米欧回覧実記（四）』に所収。

第9章　明治期以降、敗戦まで

長崎電信局のデンマーク人たち

第2章で既に触れた大北電信会社による上海―長崎―ウラジオストックを結ぶ海底電信ケーブル線は、一八七二年の元旦に開通した。それに伴い、長崎の旧ベルビュー・ホテルの一階に開設された国際電信局には、デンマークから若い電信士たちが来日して勤務した。ところが、日本ではまだ、東京―横浜間、大阪―神戸間に国内線が開通していただけだったので、一八七三年に国際線が開通するまではほとんど仕事がなく、若い電信士たちは退屈していた。

当時の外国人は長崎の決められた狭い地域内でしか行動が許されず、区域外に出るには許可証が必要だった。電信士の一人、十九歳の若さで来日したユリウス・ピーターセン（一八五二―一九二八）は、日本のすばらしい自然を味わい、日本人の町の通りで独特な民衆生活を観察するために、何度も許可証を手にしていた。退屈したりホームシックにかかったりする暇などなかった。

日本語も多少学んで、雲仙・小浜温泉へ遠出をしたり、熊本から八代まで旅行をしたりして、帰国後に『日本回想記』の表題で紀行文も出版した。

長崎が外国人ずれをして文明化しすぎていると思っていたピーターセンの目には、古き良き日本が失われつつあった。そこでそれがまだ保持され、もっと質朴な日本人が住む地方に旅行したのだった。豊かな自然を満喫し、片言の日本語を操りながら、外国人を見たこともない九州の人々に親切にされて、ピーターセンは心から日本に好感を持つに至った。芝居小屋にも行き、茶屋では大盤振る舞いを受け、狐拳まで教わった。通りの子どもたちとも仲良くなった。好奇の目にはさらされたが、八代は平和な町で敵対心はなく、伝統的な民衆の生活を十分に観察できてピーターセンは満足し、一生の思い出になった。それを象徴するように、熊本・八代への旅からの帰りに船の中で聞いた旅芸人の弾くメロディーが忘れられずに楽譜に書きとどめ、回想記にも掲載している。(注1)

長崎支局に勤務していた若き電信士のうち、いちばんの逸材はウィリアム・ブラムセン(一八五〇―一八八一)だった。日本語を短期間で習得し、大北電信会社の電信士として三年務めた後、日本の電信局に一年ほど雇われた。そして、当時三菱会社の五人の重役の一人であった同じデンマーク人のオットー・クレブス(一八三八―一九一三)に語学の才能を買われてヘッドハントされ、以後、高給で三菱の社員となった。(注2)

ブラムセンは小島たきと長崎で結婚し、一八七五年に東京へ引っ越すまで、ずっと木造の日本家屋に住んでいた。十人町の丘の上にあり、後に『お菊さん』で有名になったピエール・ロチがひと夏過ごした家があった高台で、オペラ『蝶々夫人』もその丘を舞台にしている。

日本語を流暢に話すだけではなく、ブラムセンは書き言葉もしっかり学習したため、日本語の読み書きができたし、古文、漢文もこなした。当時の日本にあって、ブラムセンほど日本語のできた外国人は稀少な存在だったと言える。日本語の習熟だけではなく、ブラムセンは熱心に日本の古銭を「和同開珎」にさかのぼって蒐集し、古銭学に夢中になっていた。上司のクレブスも貨幣のコレクションでは有名で、大判小判など、高価な貨幣を集めてはいたものの、古銭学に興味を示すことはなかった。その点ブラムセンは、極めて体系的に、かつ飽くことなく日本の古銭の研究に没頭していた。ブラムセンの比類なきコレクションは、クレブスの素晴らしいコレクションとともにデンマーク国立博物館に所蔵され、世界的に有名である。

ブラムセンはただ単に、それまでに鋳造されてきた日本の貨幣を「集める」だけでは満足できなかった。自分の入手した古銭についてすべてを「知り」たかった。探究心旺盛だったのである。まず、古銭を分類するにあたり、そこに期してある日本語が読めなくてはならなかった。貨幣の名と、鋳造された年の年号を読むには、日本語の知識、特に漢字の知識が必要とされた。それは大変な労力を要する勉強で、努力、忍耐、規律がないとできない仕業だった。

また、日本の年ははなはだ複雑な年号によって表示されているため、年号の配列を知るためには年代学を学ぶ必要があった。

さらに、貨幣の価値と、貨幣相互の価値関係を究めるためには、これも複雑な日本の度量衡を熟知しなければならなかった。鉄銭もあれば銅銭もある。銀貨も金貨もあった。それがみな大きさも重量も異なっていたばかりでなく、質もまちまちだった。けれどもブラムセンは、その相互間の価値関係を詳しく知りたかった。

ところが、日本の貨幣のシステムについて知ることができても、その研究の結果を英語で発表するとなると、また新たな問題が浮かび上がってきた。ブラムセンは当時、東京、横浜在住の英米人を中心に組織されていた「日本アジア協会」の会員だった。そこにはヘボンやチェンバレンなど明治の日本で日本研究を始めた第一世代の日本学者のほぼ全員が集まっており、定期的に会合を開くかたわら、研究雑誌を発行し、その後の日本研究の貴重な礎石を築いていた。ブラムセンはその会合で、または雑誌に研究の成果を英語で発表する際に、日本語をいかにしてラテン文字で表記するかという問題に直面し、ヘボンらを相手に果敢に議論を展開していたのである。

こうしてブラムセンは、日本語、年代学、度量衡、日本語の音訳法の各分野で名をなすようになり、一八八〇年には一度に三点の著作を発表した。まだ三十歳のときで、デンマーク人としては最初の日本学者と呼ぶにふさわしい仕事をしたと言える。

ところが同年、三菱会社から国際海事法を学ぶためにロンドンに送られ、ミドルテンプルの法学院で学んでいたが、翌八一年の九月に腹膜炎をおこし、あっけなく亡くなってしまった。

ブラムセンの業績のうち、特筆すべきは一八八〇年一月刊行の『和洋対暦表』である。今でこそ、「和同開珎」の「和銅」という年号が西暦の何年なのか、簡単に調べることができるが、実は、ブラムセンの著作が発行されるまで、当時は誰にも正確には答えることができなかったのである。文字通り『和洋対歴表』と題された著書を、ブラムセンはまず日本語で東京の丸善こと丸屋善七の店から出版した。表紙には自分の名前を漢字で「撫蘭仙」と記載している（図23）。その翌月、ブラムセンは日本アジア協会で歴史的な講演を行い、同書の英語版が年内のうちに出版された。内容を詳しく説明する次のような長いタイトルがつけられている。「日本の暦一覧　西暦六四五年から一八七三年までの日本の各月第一日目に相当するユリウス暦もしくはグレゴリオ暦の日付を表示付　日本の年代と暦に関するエッセー」。ただし、この英語版には誤植が少なくなく、改訂版が一九一〇年になってから日本アジア協会の雑誌に全文掲載された。六四五年から始まっているのは、大化元年に日本で初めて年号が導入されたからであり、一八七三年までとしたのは、その年に明治政府によって太陽暦のグレゴリオ暦が使用されるようになり、日本の暦を西暦に換算する必要がなくなったからである。ブラムセンの対歴表のおかげで、日本の暦の各月一日が、西暦の何年何月何日に相当

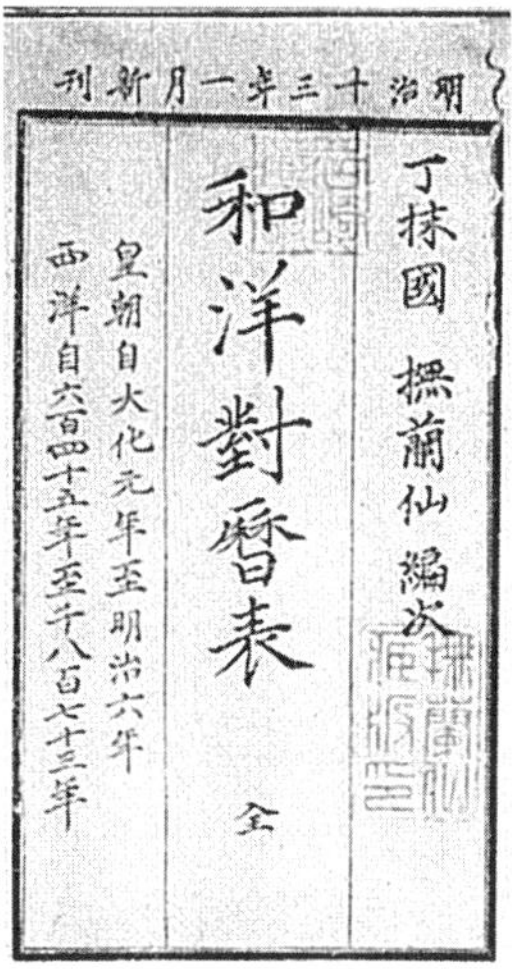

図23　ブラムセン『和洋対歴表』
（『丸善百年史』上巻、1980より）

するのかが容易に調べることができるようになった。それは、ブラムセン以前には誰ひとり成し得なかった偉業だった。

日本政府も必要に迫られ、内務省地理局が日中欧、三種の暦を対照できる『三正綜覧』という図書を、同じ一八八〇年の一二月に発行したが、誤りが多い。なかでも最大の誤謬は、グレゴリオ暦を、それが導入された一五八二年以前にまでさかのぼって取り上げている点である。

日本の暦から西暦にと、一方通行にしか換算できないという弱点がありながらも十分に使用に耐えるものであったにもかかわらず、以来、日本では改良された対歴表が次々と発行され、その都度正確さを増すに至って、ブラムセンの『和洋対歴表』は忘れ去られてしまった。

英語版の序章でブラムセンは、日本で年を表示する方法に四種類あることをまず説明している。すなわち、(一) 天皇の治世、(二) 年号、(三) 干支、(四)「紀元」 神武天皇即位の年、西暦紀元前六六〇年を元年とする(「紀元」は一九四五年に廃止となった)。

干支の説明の後で太陰暦の仕組みを解説するが、こうしたブラムセンの概説中、特に注目されるべき点は、日本人が、中国からの暦のシステムを導入する以前に、「一年」をいかに数えていたかという、歴訪暦法の根本に関する仮説である。『日本紀』もしくは『日本書紀』を読み解く過程でブラムセンは、初代天皇神武から第十六代仁徳までの平均年齢と、十七代から三十二代崇峻天皇までの平均年齢が、それぞれ一〇九と六十一・五というように、著しく異なっているのを発見し、疑問に思った。神話的な存在だったから長命だったのだろう、などとはブラムセンは思わなかった。

彼の仮説によれば、仁徳天皇の治世に中国の暦法が日本で導入されたが、それまでの日本人は、昼と夜の長さが同じになる春分と秋分を起点とし、春分から秋分、秋分から春分をそれぞれ「一年」として数えていたという仮説を立てる。そのために『日本書紀』では、仁徳天皇以前の歴代天皇の寿命が二倍になっていたのだと説明するのである。古代の日本では、天照大神の末裔の国にふさわしく、月ではなく太陽を時間を計る単位にしていたに違いない、とブラムセンは確信していた。そして、仮説のもとに歴代天皇の年齢を割り出してみせ、神武天皇が即位したのが、紀元前六六〇年ではなく紀元前一三〇年で、新月の日に行われたと主張する。

ブラムセンの画期的な新説は、簡単な紹介と短い書評が載った以外、まったく反応のないまま現在に至っている。筆者は拙稿「W・ブラムセンの情熱」でブラムセンの仮説を紹介したが、これが誤っているとするなら、反論して斥けるべきではないか。暗黙のうちにいわゆる神話時代天皇の長命を受け入れて古代史を論じるのは問題があろう。筆者はさらに同稿で、ブラムセンの説を応用し、神武天皇から仁徳天皇までの在位推定年を割り出して従来の古代史の諸説にコメントを加えている。(注3)

もう一人、長崎支局の通信士で注目すべきは、フレデリック・コルヴィ(一八四八―一九二九)である。ブラムセンのように日本を研究することもなく、ピーターセンのように町を離れて旅行をすることもなかったが、長崎周辺の高台や山へ散歩することを好み、日本滞在の足跡を毎日書き綴っていた日記に残している。コルヴィの日記は、一八七四年から七六年にかけての長崎の暮らしを町の内側から描写している貴重な文献である。筆者はまったくの偶然からデンマークの王立公文書館でコルヴィの日記に遭遇したのだった。薄い帳面にペン字手書きで細かに書き留められた日記には、私生活上の事どもも書き連ねてあるが、彼の日本観日本人観が語られている部分に焦点を当てて抽出し、それを批判的に紹介したものが、『大北電信の若き通信士　フレデリック・コルヴィの長崎滞在記』として刊行されているので、詳細は同書を参照していただきたい。ここでは、要点を述べるだけにする。

コルヴィは大北電信会社のロンドン支局に雇用された後、上海を経て一八七四年から長崎で通信士を務めていたが、七六年から七八年まで横浜支局のエージェントの職につき、その後一年ほど日本の電信局に雇われていた。そして一八七九年に大北電信会社長崎支局長として復帰し、八三年まで滞在した。これがコルヴィの日本滞在の概略である。

上海滞在時からブラムセンと知り合い、日本へはまず函館へ派遣されて東京─函館間の海底電信ケーブルの敷設に従事してから、長崎支局への転勤となった。二十六歳であった。

長崎では、古銭の研究に夢中になっていたブラムセンと親友になった。ブラムセンは、「生き字引」となって知識欲旺盛なコルヴィに日本を説明した。七四年の秋は、金星観測のため外国から天文学者たちが集まってきて、電信会社が利用された。日本は台湾に出兵し、そこで戦死した兵士たちの亡骸を、クレブスの乗った三菱の汽船が長崎に運んできた。国籍の問題があって、ブラムセンが小島たきとは結婚届を出さずに夫婦になっていることを知った。「洋妾」と呼ばれていた日本女性サナエさんにも会った。

奥手で内気なコルヴィは、恋愛関係のこと、「性」に関することなどを日記に記す時には、フランス語で書いたり、ギリシャ文字を使ってデンマーク語で書いたりしていた。

次の年、三菱会社が香港―横浜間に新航路を開き、蒸気船東京丸を走らせた。それとの関連もあり、クレブスがブラムセンを三菱に雇い入れた。親友が横浜へ引っ越すことになり、コルヴィは寂しくなる。三月に、台湾の戦争で倒れた兵士を弔う式典があり、見に行く。招魂の式典というよりは、見世物の出た市場のようで驚いた。五月の長崎は新緑で美しかった。コルヴィも美しい港でボートを走らせた。支局の宿舎を出て、ピーターセンといっしょに出島四番地に家を借りた。国賓として東京を訪れ明治天皇と謁見する前陸軍大臣ロースリョフとホスケア大尉がデンマークからやってきて長崎支局を訪れた。ホスケアは、長崎に来るまでの一年間中国に滞在して電信線敷設の監督をしていた。後述するが、帰国後に『日本訪問記』を刊行している。さらに、大北電信会社上海支局長ドライアーも夫人同伴で、子どもたちも連れてやってきた。自分のことばかり話す老人ロースリョフと口うるさいホスケアに時間を取られるだけではなく、ドライアー夫妻の子どもたちの相手もさせられ、勉強まで見てやらなければならなくなり、コルヴィは暑い長崎ですっかり消耗してしまう。日記を書く暇もなかった。やがて秋になり、コルヴィはえも言われぬ美しい長崎の自然に心を奪われ慰められた。

年が変わり、長崎支局長ラッセルに息子が生まれた。ところがその直前、一二月三一日の日記に、なんとローマ字の日本語で「昼過ぎ、子どもは、諏訪町に」と記し、続けて「スネタロがこの日生まれた」と書き留めているのである。タロは太郎だろうが、不明瞭な手書きなので、sune は sinn（シン）の可能性がある。いずれにしろ、諏訪町はサナエさんが住んでいたところで、コルヴィはかなり頻繁に訪れていた。ローマ字で「隠して」記述していたことだけでも、それがコルヴィの子であったことが想像できる。コルヴィは長い期間、サナエさんのことを一言も日記に書いていなかった。この次に「スネタロ」と記されるのが一月三〇日のことで、それがまた最後である。

二月二六日、長崎の町はお祭り騒ぎで、長い行列が金比羅神社まで続いていた。日本が朝鮮と修好条規に調印したのだった。ところがこの頃、コルヴィは何か胸をかきむしられるような体験をしていたようで、三月五日の日記は筆跡が乱れている。そして三月一五日、また日本語で書いている。諏訪町のことだ。「スワマチ　イケマスタ（行きました）ネマスタ（寝ました）」この記録を最後にして、コルヴィは「スネタロ」が生まれた諏訪町について二度と言及していない。翌十六日、横浜へ行くことになった、と解放されたように書き、十七日、サヨナラを言う暇もなく、そそくさと長崎を脱出してしまった。コルヴィの乗ったネヴァダ号には、有名なイギリス人商人グラヴァーが同船していた。横浜では、東京に住んでいたブラムセンらが出迎えてくれた。けれどもコルヴィは知人のいない横浜で退屈しきっていた。たまにスイス人のデンマーク領事デ・バヴィエーを訪ねたりしていたが、客待ちをしている人力車がうんざりするほど多数でイライラさせられるばかりのコルヴィだった。

五月の末にコルヴィは、ディトゥレフセン船長の訪問を受けた。一八七三年から三菱に雇われ、蓬莱丸をあずかっていた。当時の三菱は、日本海軍の増強に対応するように船舶数を増やしており、また外国客船航路を開くなどして拡大する一方にあったが、これらの船の船長ならびに航海士として外国人を多く雇っていた。ディトゥレフセンはその一人であったわけで、この若い船長は、故郷から遠く離れた横浜で、同国人のコルヴィに積る話を母国語で延々と話していた。そしてその数日後、「音楽をしたり歌ったり、すごく楽しかった」と五月三一日の日記の最後に書いたきり、コルヴィはそれ以上日本での体験を日記に綴ることはなかった。

一八七六年当時、コルヴィは二十八歳で、その頃から結婚をして東京で家庭を築くことを思い立ったようだった。相手は日本人ではない。以前家庭教師をしてあげていたことのある故郷のデンマーク女性を呼び寄せ、翌一八七七年の一〇月に東京で挙式している。七九年に大北電信会社の支局長として長崎に戻ってきたコルヴィは、支局のあった梅香崎二番地に妻と息子とともに住んでいた。息子にはブラムセンと同じ、ウィリアムという名をつけた。

ロースリョフ将軍がデンマークを訪れた岩倉使節団に対する答礼の訪問を行い天皇に謁見するために来日した折に同行したオットー・ホスケア（一八二九―一八九五）は、当時非職海軍大尉で、大北電信会社に雇われて中国で電信線敷設工事を指導していた。

ホスケアの東アジアでの体験を記述した旅行記『中国、日本、インドへの旅』の日本の部分は、すべてが新鮮で開放的だった長崎の描写で始まっている。美しい港を見渡す光景はまったくすばらしく、「汚れていて固くるしい中国人と別れてきたすぐ後で、清潔でにこやかな日本人を見るのは心地よかった」と書いている。それがホスケアの日本人に接した第一印象だった。横浜へ向かう船旅の途中で神戸に到着したホスケアは、旅券を獲得してデンマーク人として最初に京都を訪れた。八坂神社、知恩院、三十三間堂、清水寺など、見るべき名所を訪れ、比叡山、琵琶湖方面にも足を延ばした。嵐山へ行き、歌舞伎も見物してから神戸に戻り、横浜に向かった。汽車で東京へ行って準備を整え、後日到着したロースリョフとともに、七月に天皇に謁見する。その模様の記述の詳細は既に紹介してきてあるので、そちらに譲るが、「睦仁天皇は二十三歳、痩せていて蒼白、金モールのたくさんついた黒い上着を着て白いズボンをはいていたが、勲章はつけていなかった」とホスケアは書いている。(注4) シッキが一八七〇年に謁見したときの天皇は、時代遅れと思われるほどに伝統的な姿をして神秘に包まれていたが、五年後にホスケアらと出会った時には洋式の軍服姿をしていて、帝国的な近代国家、大日本帝国の首長にふさわしい外見に変身をしている最中だった。東京でホスケアはクレブスとブラムセンにも会った。クレブスの持ち船に芸者を乗せて神田川を下る豪勢な接待も受けた。

ホスケアの日本旅行記は、身分制度を語るのに新興の華族、士族を取り上げ、西南戦争や大久保利通暗殺のことなどにも触れていて、いまだ普請中だった維新期日本を同時代の目で描いているほか、明治天皇との謁見の描写部分が、実際に目にして体験した記録で価値があるものの、ほかの部分は京都の紹介を除き既存の記述を繰り返している印象を免れず、紋切り型に終わっている。にもかかわらず、開国以来わずか二十年で変貌した日本に、ホスケアは感嘆の声をあげていた。

明治初期、近代化をいち早く達成するために政府は外国人の専門家、いわゆる「お雇い」を多数招いた。けれども、高給で雇われたこれら特殊技能の所有者たちは、同分野で日本人が代わりを務められるようになると早々に解職され、帰国させられた。

日本を訪れたデンマーク人のお雇いは、そのほとんどが船長、航海士、機関士などで、雇用先も三菱会社、もしくは日本郵船会社（三菱会社が一八八五年に共同運輸と合併したもの）に集中していた。前述のディトゥレフセン船長のほかにも、七六年から日本で船長を務めていたフラームが、日本海域の船乗りたちの間でよく知られていた。さらに、クリステンセンという名の船長が二人活躍していて、一人は日本に永住した。ほかには、日本の電信局に雇われていた者が少なくなく、ブラムセン、コルヴィらも短期間ながら所属していた。また、日本の鉄道で縄職人として働いていたラスムセンもいた。産業界以外でも、トープ、ローゼンスタンなどがドイツ語教師として雇われていた。(注5)

ホウゴーの日本旅行記

一八七九年にスウェーデンの探検家ノルデンショルドが、北極海を横断しベーリング海峡を抜け、東はアジア、南はインド、西はヨーロッパと広がるユーラシア大陸を初めて一周した途中で日本に寄港した。その快挙の一部始終を記述した『ヴェガ号航海記』は各国語に翻訳され、浅間山への周遊旅行を行った記録も、邦訳されて知られている。ノルデンショルドはなぜか、通訳と西洋料理のコックの二名のみを連れて旅行したように書いているのだが、実はその一行には、デンマークの海軍大尉アンドレアス・ホウゴー（一八五三―一九一〇）も加わっていた。彼は帰国後に『アジアとヨーロッパを一周したノルデンショルドの旅』と題する本を一八八一年に刊行した。これはノルデンショルドの著作を補っていて興味深いのだが、未紹介だったため、筆者が簡単な記事を書いたことがある。(注6)

ヴェガ号が一八七九年九月に横浜に入港すると、日本中にコレラが流行していると知らされる。歓迎会のレセプションが横浜でも東京でも引き続いて開かれ、ノルデンショルド一行は天皇陛下にも謁見した。ヴェガ号が横須賀のドックに入っている間、一行はまず東京を訪れて増上寺などを見学、鎌倉へも行った。そして、スイス人のデンマーク総領事デ・バヴィエーの勧めで、浅間山への周遊旅行が急遽計画されたのである。

朝の四時に馬車で東京を出発し、熊谷、本庄で絹織物の店を訪ね、その日の目的地高崎に夜中の十一時に着き、警官の口添えでやっと宿を見つけた。伊香保、沢渡と温泉に泊まってから、暮坂峠を越えて草津に入った。それまで鶏肉と卵ばかり食べさせられていたホウゴーは、やっとましな食事にありつけて喜んだ。硫黄泉の町にいた医師から湯の効能を聞いた後、山道を下りて吾妻川を渡ってから道案内を雇った。駕籠に揺られていって六里ヶ原の峰の茶屋に泊まり、老夫婦から浅間山の話を聞く。剣ヶ峰に達してからようやく浅間山の火口にたどり着き、八方を眺望した。下山し数時間後に追分に着き、立派な宿に泊まった。軽井沢、碓氷峠と景勝を楽しみながら中山道を高崎まで行く。夜中に出る馬車を待つ間、ホウゴーは通訳といっしょに芝居見物をした。演し物は「先代萩」、千松、政岡で有名な「御殿」の場である。筋が明確だったこともあるが、ホウゴーにもよく理解できた裏には、旧幕臣だった教養の深い通訳の助力があった。このようにホウゴーは、ノルデンショルドの記録にはない貴重な情報を提供しているのである。

これもホウゴーの記録にしかないことだが、彼は浅間山への周遊旅行をする前に、東京で歴史的な歌舞伎公演を観劇していた。河竹黙阿弥作、守田勘弥演出の『漂流奇譚西洋劇（ひょうりゅうきたんせいようかぶき）』を新富座で通訳といっしょに見たのだった。歌舞伎の革新を目指していた守田勘弥が、劇中に西洋人を登場させ、舞台も東京ではなくサンフランシスコ、ロンドン、パリで展開するというふうに、当時の観客の度肝を抜くような演し物だった。性急に西洋化・近代化を急ぐ日本をそのまま脚色して舞台に載せたような作品で、時期尚早の感は免れがたく、案の定、企画は大失敗に終わり、早々と看板が下された。脚本自体もやたらと複雑で、劇中劇の場面においてピアノの伴奏でいきなり西洋女性がソプラノの歌声を聞かせると、観客はその異様さに笑い出す始末だった。極度に様式化された従来の歌舞伎をリアリスティックな近代劇に変質させようとしていた守田勘弥の意図は、観客には理解されなかったとはいえ、優秀な通訳を従えていて、筋を追うことのできたホウゴーにはそれなりに感知することができたようだった。(注7)

高崎から戻って間もなく、ヴェガ号は横浜を離れて神戸へ向かった。神戸停泊中にホウゴーは京都方面を訪れた。大津まで出かけて夕日に映える琵琶湖を望み、京都市内では二条城と御所を見学した。御所では通訳と案内人がついていたため、非常に詳しい描写を行っている。けれども二十六歳の若いホウゴーにとって最も興味深かったのは、嵐山から亀岡へ行き、保津川下りを満喫したことだった。風光明媚な自然の中を激しい速度で突き抜けていく快感を、言葉を尽くして語っている。神戸からは瀬戸内海を通過し、下関、長崎を経て香港へ向かった。

ホウゴーの訪問記の特徴は、デンマークの青年将校にふさわしい生き生きとした筆致でもって好奇心に満ちた鋭い観察を書き留めたことであろう。知性的で教養ある旧幕臣の通訳に助けられたことも幸いだった。

コーノウ

ホウゴーと同じく二十六歳のときに、ヘンリ・コーノウ大尉（一八六二—一九三九）が一八八八年に日本を訪れた。前述のスエンソン同様、ホウゴーはフランス海軍での修行中に軍艦チュレンヌ号に乗り組み、アジア海域に派遣された折に日本各地を巡航した。ホウゴーは二か月足らずの滞在だったが、コーノウは一年ほどの間に、横浜、東京、名古屋、鹿児島、神戸、大阪、奈良、京都、伊上、敦賀、岐阜、函館、長崎、日光と、日本全国をさまざまな季節に訪れた。

帰国後にコーノウは、一八九三年に『アジアの海域にて』という大部の著書を刊行、その半分以上が日本印象記にあてられている。後年外務大臣まで務めた逸材コーノウは、温厚でユーモアのある人柄もあって、日本と日本人の描写も若々しくて洒脱、先行の日本関連図書に書かれた記述に依存するようなこともなく、西洋人特有の偏見も大らかに対象化しながら日本滞在の体験を記録している。コーノウの印象記の特徴はもう一つ、少数の例外を除いていわゆる日本人のお偉方が登場することなく、幅広い階層のごく普通の日本人、特に子どもたちや若い娘たちとの交流が温かく描かれていることである。明治半ばの日本では、外国人がまだまだ白眼視されていた。けれども同時に、陽気で開放的なコーノウのような外国人には、気軽に親しみを覚える日本人も多くなっていたのである。コーノウの印象記はその証左であると言える。

エピソードをいくつか挙げておこう。上野の博物館で見学中、櫛やら簪を売っている売店の前で、若い娘たちが好奇の笑顔で自分の方を見ているのを見とめて笑いかけ、娘たちに簪を買ってプレゼントした。／不忍池の近くでかわいい女の子たちが路地で羽根つきをしているのに出くわして、早速遊びに加わって笑い転げた。／鹿児島では巡業相撲を見にいってたちまち夢中になり、相撲はスポーツではなく観客を熱狂させる芝居だと思った。／奈良の女性が日本一美しいという評判を聞いて、椅子のある店で食事をし、店の娘たち相手に会話を楽しみながら美人コンクールまで開いてしまった。／函館では親しくなった日本の友人とともに混浴の銭湯へ行き、茹でられた海老のごとくに赤くなった。／日光の宿でも、娘たちに笑われながら釜風呂に浸かった。／日光では骨董品を買い求めすぎて帰りの汽車賃に困り、結局三等車で帰京したが、その車中で注視の的になったコーノウたちは、同じ三等車に乗っていた日本人たちの親切さと礼儀正しさにあらためて感動した。

コーノウの周辺にはいつも笑いが絶えなかったのである。その点だけでも、彼の日本印象記は異彩を放っていた。(注8)

コーノウが日本人を語るときのキーワードは、「親切心」と「清潔さ」であった。そして、最も魅惑されていたのが、日本人の女性だった。それも伝統的な着物姿の女性に賞賛の言葉を惜しまなかった。ある家庭を訪問して、母親が娘の髪を結って着物を着付ける様を、二時間以上にわたって観察させてもらったことさえあった。エキゾチズムに染まっていたわけではなく、常識的な美的感覚にのっとって彼なりの美の追求をしていたのだと言える。

コーノウは敦賀に一カ月ほど滞在したのち、北上する軍艦チュレンヌ号に乗って函館を訪れた。

開放的で明るい函館の人々がたいそう気に入っていたようで、旅行記にも記されている。その後、チュレンヌ号はウラジオストックと朝鮮に航海したのち、長崎に戻ってきた。文明度が低く生気と清潔感に欠けている国から日本に帰ってきてほっとした、とコーノウは西洋中心主義の偏見を隠さずに印象記に記しているのであるが、まず平戸に投錨しやがて長崎の港に着いた時、チュレンヌ号を訪れた日本人の清潔さと物を大事に扱う振る舞いに感心していたからであった。

デンマーク領事館にデンマークの国旗ダンネブロが翻っているのを目にしてコーノウは、小国ながらも自己の存在を顕在させている母国デンマークを誇りに思った。風光明媚な長崎で、コーノウが特に美しいと思ったのは高鉾島周辺の景観だった。

その後チュレンヌ号は一一月に長崎から横浜に移動した。すると同月八日に赤坂離宮で開催される観菊会への招待状が待っていた。その記述を始める前にコーノウは、同年四月、上官の都合がつかなかったために運よく代理で出席した浜御殿での観桜会について語っている。天皇陛下が体調を崩していたので、その日は皇后陛下が主人役を務めた。軍楽隊が国歌を演奏する中、美子(はるこ)皇后が登場した。招待客に交じってコーノウは、その晴れやかなお姿から視線を外せないでいた。近くにいた日本女性が、和服を着ていながら靴を履き手袋をしていたのに幻滅していたせいもあり、背の低い皇后がパリ仕立ての紫色のドレスに身をまとい良く似合う帽子を被っていたのに目を奪われた。内心では豪華な伝統的な和服姿でお出ましになるのを期待していた分、失望していたのだが、それも束の間、皇后が近づいてくるにつれ、お顔の高貴な神々しさに気がつき、小さなお身体の動かし方につくづく感服したのだった。そして、女性通訳を介してチュレンヌ号の艦長とお言葉を交わす際には、文字通り耳を済ましてお声を聞き取り、表情の移り変わりを瞼に刻印した。それほど強い印象を受けたのだった。ところが印象記には、洋装の皇后陛下ではなく、コーノウが見たかった古式な姿をした皇后を菊で飾った挿絵を掲載している（図24）。

図24 『アジアの海域にて』に掲載された挿絵　日本の皇后
（Henri Konow: *I Asiens Farvande*. København 1893 より）

秋の観菊会の参加者は観桜会のときよりもはるかに多数だった。今回は両陛下が出席し、天皇は騎馬で登場した。ヨーロッパ風の軍服を着ていて、日本人としては背が高く、かなり豊かな頬髭をたくわえていた陛下は、一見非常に立派に見えたが、顔の表情にはどこか活気がなく集中していないようなところがあった、とコーノウは記している。それに反して小柄な皇后には魅了され、興味深い観察をしている。すなわち、日本女性の地位の低さが歴然として目に映ったというのである。コーノウによれば、賛美は皇后にこそ与えられるべきであったにもかかわらず、皇后は注目の的になるのがどことなく気がかりな様子で、随員たちとともに陛下の後ろを慎ましくついて行かれた。けれどもその動作には威厳があふれていた、とコーノウは賛辞を惜しまなかった。

ちなみに、コーノウ帰国の翌年、一八八九年にピエール・ロティの『秋の日本』がパリで発行され、折からのジャポニズムに拍車をかけていたが、ロティは同書中の「観菊御宴」で皇后の名前を「皇后プランタン（春）」と呼び、以来、美子（はるこ）皇后の名前は西洋では「春子」として知られてきている。

ヨハンネ・ミュンターと石井筆子

ヨハンネ・ミュンター（一八四四—一九二一）は、大日本帝国海軍に最新鋭の戦艦を納入し、日露戦争における日本海海戦での勝利に大きく功績のあったイギリスのアームストロング社の代理人、武器商人バルタサー・ミュンターの妻であり、八人もの子どもをほぼ一人で養育、教育した人である。日清戦争直後に来日して、十か月ほどの滞在であったが、その間に充実かつ密度の濃い体験をし、日本での生活を満喫した。（武器商人ミュンターについては第2章を参照）
虎ノ門の大倉喜八郎の敷地に建てられ使用人の離れや馬小屋まであった豪邸「大和屋敷」に住み、在京の欧米夫人ばかりではなく大山巌夫人や後述する小鹿島（おがしま）夫人筆子たちと交遊し、クーデンホーフ青山光子とも出会った。歌舞伎座では語り草になった九代目市川團十郎の『暫』初演の舞台を観劇した。また秋には皇居のお庭での観菊会に参加し、北白宮の葬礼に特別に参列を許された。
ヨハンネは、日本滞在から十年が経過した日露戦争終結後の一九〇五年に回想記『日本の思い出』

図 25 『日本の思い出』表紙

をコペンハーゲンで発行し、人生の転機になった出来事について綴った。回想記とはいえ、滞日中に知ったラフカディオ・ハーン（小泉八雲）の著作から影響を受け、記録に脚色を加えたり話法に工夫を凝らしたりしている部分があって、その点でも異色な書物になっている（図25）。

『日本の思い出』の中で特筆に値するのは、何と言っても「渡辺」姓が結婚して「小鹿島」、再婚して「石井」と三度にわたって苗字が変わった筆子（一八六一―一九四四）との交流記録である。筆子との出会いがなかったら、ヨハンネの帰国後の活躍はおそらくなかっただろうと思われるほど、二人の出会いは決定的なものであった。

大村藩（長崎県）出身の筆子は、ヨーロッパ派遣女子留学生として将来を嘱望され、アメリカに留学した津田梅子が英語を教えていた華族女学校でフランス語を教えるかたわら、鹿鳴館時代には、美子（はるこ）皇后の通訳を務めたりもしていた。

自由結婚を唱えていながらも親の定めた小鹿島家に嫁ぎ、三人の娘を産んだがみな障害があり、夫にも先立たれた筆子は、石井亮一とともに滝乃川学園を経営した。小鹿島姓時代、筆子は静修女学校校長で、華族女学校幼稚園主事も務めていたが、婦人解放と女性自立の運動に熱心であった。

その姿に感銘してヨハンネは、筆子自身が滝乃川学園の仕事のために中途で放棄せざるを得なくなっていた運動を引き継ぐ形で、遠くデンマークの地で婦人参政権運動に加わり活躍したのだった。洋の東西の二人の主婦は、東京で短期間ながらも交流し、友情を深めて心の底を打ち明けあっていた。筆子は、西洋女性から影響を受けたのではなく、年上の西洋女性に影響を与えた明治の国際人だったのである。

ヨハンネは一八九六年に帰国した後、ラフカディオ・ハーンの著作を読みながら日本の歴史と宗教を学んでいた。「失われた日本」を愛し、エキゾチック・ジャパンを世界に広めたハーンの著作中、ヨハンネが特に興味を抱いたのが日本女性の生活ぶりだった。ヨハンネは、ハーンの著作を通して、自らの日本での体験に形と言葉を与えていた。その成果が実り、『朝焼けの国から』(一九〇〇)、『菊』(一九〇一)を上梓、ハーンの著作の翻訳を含めて日本文化の紹介を行ったが、三冊目の『影の世界から』(一九〇二)は全編ハーン作品の翻訳となっており、テーマ別に再編集されている。外から眺められた日本ではなく、ヨハンネはハーンの著作を通して日本人の内面を紹介したのだった。そして読者に対して、「日本人のように考え、日本人の心でもって感じ、日本人の目でもって人生の来し方と行方の謎を見てみましょう」と訴えている。

その一方でヨハンネは、筆子から刺激を受けて、女子教育と婦人問題に対して新しい態度をとるようになり、折からデンマークで盛んになりつつあった婦人参政権同盟に積極的に関わるようなり、一九〇四年にデンマーク支部の国際部秘書に就任し、一九〇九年まで務めた。一九〇六年には「婦人参政権新聞」を発行し、一三年まで続けている。ちなみにデンマークで婦人参政権が獲得されたのは一九一五年のことだった。

日本の参政権運動を促進すべく、一九一二年に国際婦人参政権同盟のチャップマン・キャット夫人が日本を訪れたが、その受け入れ役を引き受けたのが筆子だった。もちろんヨハンネの推薦によったものだ。滞日中に日本各地を訪れたキャット夫人は、東京では帝国ホテルで一六名の日本婦人との昼食会に招かれた。主な参加者は鳩山春子、津田梅子、尾崎テオドーラ、石井筆子だった。婦人参政権問題に関しては、日本ではまだ時機が熟していない、との結論が出た。それをヨハンネに報告する手紙の中で筆子は、「婦人参政権は女性の価値を認めることです。」さらに、「人類の母親としての私たちの使命は、とても尊いものです！」と書いた。この感動的で誇り高い言葉が記された筆子の英文の手紙は、ヨハンネのネットワークを通じて世界に発信されたのだった。(注9)

二人の女性の友情の証のように、筆子が大事にしていたアルバムの表紙には、ヨハンネの写真が飾られていた。

コペンハーゲン動物園での旅芸人と花子

一九〇〇年のパリ万博を機に、ヨーロッパは東洋ブームの波に洗われていたが、デンマークでも一九〇二年の夏にチボリ公園の中に中国人のグループを住まわせてその暮らしぶりを見せる「展示」が大人気を博していた。非白人を動物扱いして見世物にする興行は、その前年にコペンハーゲン動物園において象を連れたインド人を招いて既に催されていたが、同じ動物園で、チボリ公園の中国人展の向こうを張って開催されたのが、日本展だった。その頃既に川上貞奴を筆頭に日本の芸人芸者が次々と渡欧して珍しがられていたが、その日本ブームに便乗してハンブルグの興行師ハーゲンベックが企画に加わり、岐阜の芸人一行をコペンハーゲンに呼んだのだった。二〇名ほどの一団に、後にパリで彫刻家ロダンのモデルになってその名を後世に残すことになった花子(太田ヒサ、一八六八―一九四五)がいた。

中国展とは違って日本展は、参加者が芸人であったために動物に見立てられて単に見世物扱いされることはなかったが、場所が場所だけに、民族誌学的な好奇の目にさらされることは避けられなかったようである。

花子の一団の興行の模様は、記事が書かれ写真も撮られ、絵葉書にもなっているので大体の様子をつかむことができる。動物園の一角に精一杯日本風に築かれた家屋や鐘楼、舞台などが配置され、鳥居まであった。舞台の上では三味線が弾かれ、着物姿での踊りが披露された。コミカルな寸劇も演じられ、袴姿で演じられた唐傘さしての独楽回し、髷を結い、褌を締めての相撲もあれば用具一式つけて竹刀でする剣道の試合も行われた。岐阜の一団だけあって、灯籠らしきものが立てられた日本庭園に水が引かれ、流れの上に丸橋が架けられてその下ではなんと鵜飼の実演が行われていた。男たちはもちろん鵜飼の衣装をきちんとつけていた(図26)。

図26　特設舞台で踊る花子
（写真シリーズ Julius Aagaard: *Japan i Zoologiske Have*, København 1902 より）

踊りの場面でも寸劇の舞台でも、いつも小柄な花子が主役をつとめていた。駕籠に乗ってかつがれていくのも花子だった。人力車まで日本から持って行きながらなおかつ駕籠をかついで見せたのは、この、数々の日本印象記で「まるで拷問用具」として伝説化されていた「カゴ」を実地に見たい者が多かったからであろう。なお、写真には日本の子どもたちの姿も見え、一座は家族を中心に構成されていたのが分かる。

ただの見世物にされることなく日本の芸を見せ、竹細工の職人が実演もするなどしてデンマーク人を感心させた一行のおかげで、日本に対する関心が一段と高まったのだった。

その後一座はデンマークのほかの町でも興行を続けたが、やがて花子は、ベルギー、イギリスにまで達して『ハラキリ』と題する演目を舞台にのせ、迫真的に切腹の場面を演じるのが話題になり、評判になっていた。以後、日露戦争中にヨーロッパを巡業し、一九〇六年にロダンと出会うのである。三十八歳になっていた。(注13)

王室―皇室交流

伏見宮貞愛(さだなる)親王は、西洋軍隊視察のために滞欧中の一八八六年にデンマークを訪れた。その翌年、今度は小松宮彰仁(あきひと)親王がコペンハーゲンに一週間滞在し、国王クリスチャン九世に歓待された。往路は太平洋を越えアメリカ経由でロンドンへ、復路はマルセイユから航路で帰国し、世界一周を遂げたが、大規模な旅行の目的は、三月に開催されたドイツ皇帝ヴィルヘルム一世の九十歳の誕生日に列席し、六月に行われたイギリス女王ヴィクトリアの在位五十年式典に、いずれも明治天皇の名代として出席することだった。コペンハーゲンでは大佐に出世していた前述のホスケアが接待役を務め、小松宮親王はアマリエンボー宮での国王主催の晩餐会に妃殿下とともに出席したのをはじめ、コンサート、観劇、市内の観光、海軍工廠訪問、列車に乗ってフレデンスボー城を訪れるなど、多彩なプログラムをこなして日本とデンマーク両国の親善に大いに貢献した。

その十三年後の一九〇〇年、クリスチャン九世の末子ヴァルデマー親王（一八五八―一九三九）がヴァルキュリエン号の船長として日本を訪れ、答礼訪問が実現した。二月に横浜に到着、三月に明治天皇に謁見、鳳凰の間で両陛下に迎えられたヴァルデマー親王は、嘉仁(よしひと)皇太子に贈呈すべきエ

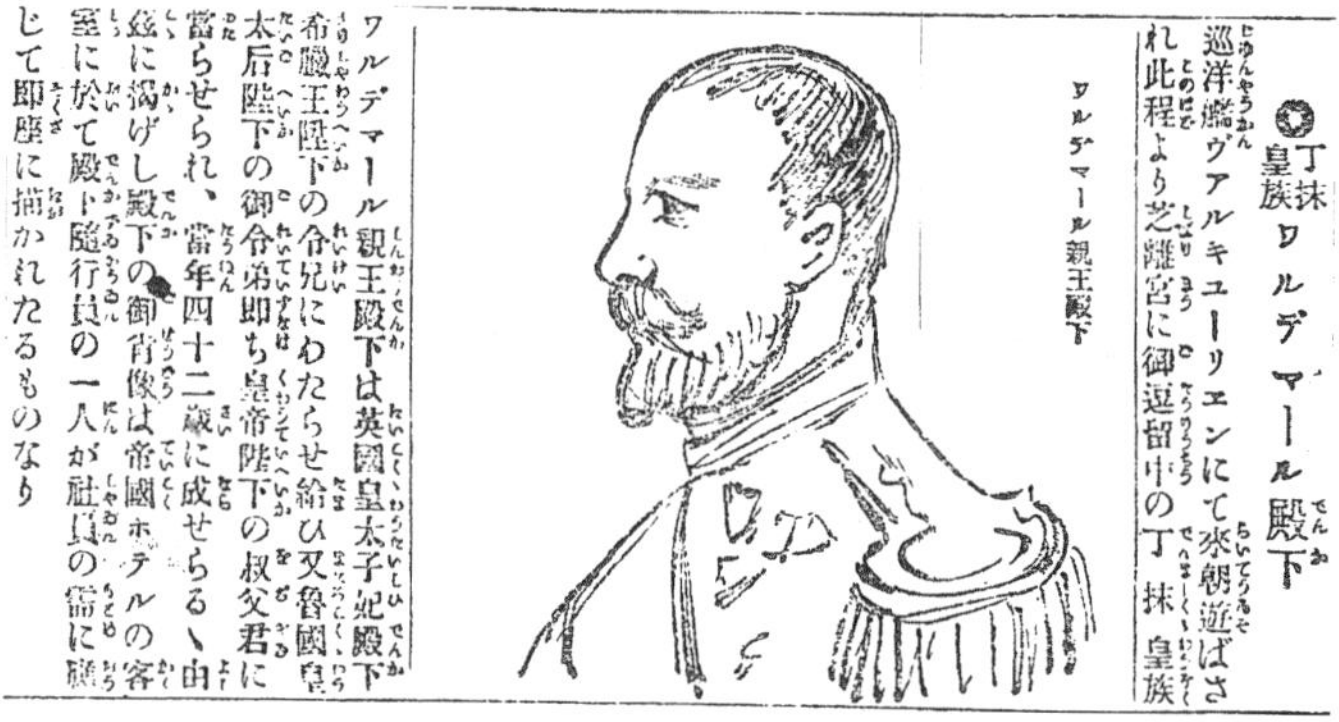

◎丁抹皇族ワルデマール殿下

巡洋艦ヴアルキユーリエンにて來朝遊ばされ此程より芝離宮に御逗留中の丁抹皇族

ワルデマール親王殿下

ワルデマール親王殿下は英國皇太子妃殿下希臘王陛下の令兄にわたらせ給ひ又魯國皇太后陛下の御令弟即ち皇帝陛下の叔父君に當らせられ、當年四十二歳に成せらるゝ由玆に揭げし殿下の御肖像は帝國ホテルの客室に於て殿下隨行員の一人が社員の需に應じて即座に描かれたるものなり

図27　ヴァルデマー親王の肖像スケッチ
（報知新聞1900年3月10日より）

レファント勲章を陛下に謹呈した。その後で山県有朋首相以下諸大臣が出席する晩餐会に出席した。その晩は歓迎の花火が打ち上げられた。横浜では艦上で過ごしたが、東京では芝白金台の迎賓館に逗留した。

大相撲を観たり、赤十字病院を訪問したり、国賓として忙しいスケジュールをこなす間に、ヴァルデマー親王は鎌倉や箱根、日光も訪れ、神戸に移動し、寄港中に京都を訪問、長崎でも歓迎を受けて四月初めに帰国した。

こうした動向については、公式の記録のほか新聞記事などに詳しく報じられているが（図27）、ヴァルデマー親王にはジャーナリストのスヴェストロップが同行していて、色彩豊かな多少凝りすぎた表現ながら日本印象記を記し、帰国後に『デンマーク人の道』（一九〇二）に収録している。

日本の近代化が輝かしい前進を続けているのを称える反面、スヴェストロップは日本人の態度が幾分増長気味になっていることを敏感に嗅ぎつけていた。天皇陛下が嫌っていたために、皇居には電灯が使用されていなかったことも記している。ヨーロッパ風のドレスを着けて晩餐会に出席された皇后陛下のすばらしい姿に感嘆したものの、コーノウ同様、和服姿でなかったことに失望していた。また、芝迎賓館で、謎に包まれていた明治天皇を至近の距離で観察する機会を得たスヴェストロップは、決して相手に視線を向けることのなかった陛下の顔の表情を描写し、写真とは似ていない、と断言している。さらに、日本の古い習慣に従って、「つま先を内側に向けて【内股になって】いた」とも書いている。いかにもジャーナリストらしい、鋭い描写を行っているが、日本各地を訪れたときのスケッチは、月並みの印象を免れないでいた。(注11)

一九三〇年には三人のデンマーク王子が日本を訪問した。東アジア会社の理事の地位にあったアクセル王子(国王クリスチャン十世の従弟で、一九〇〇年に日本を訪問したヴァルデマー親王の長男、一八八八―一九六四)が監査のために極東を訪れる機会に文字通り便乗する形で、フレデリック王太子(国王クリスチャン十世の長男で、後の国王フレデリック九世、一八九九―一九七二)とクヌ王子(その弟、一九〇〇―一九七六)が同行することになり、三人の王子たちがアクセル王子の妻のマルガレータ王女(一八九九―一九七七)とともに東アジア会社の持ち船フィオニア号に乗船して日本を訪れたのである。

まずフレデリック王太子とクヌ王子がコペンハーゲンから鉄路でシチリア島のメッシーナに向かい、待ち受けていたアクセル王子夫妻と合流、一月一六日に出発し、シンガポール、バンコク、香

図28　明治神宮を訪れた三人のデンマーク王子
（個人蔵）

港、上海経由で三月一七日に横浜着、一八日に着岸し一行は上陸した。上海では中国、日本でデンマーク公使を務めていたカウフマン夫妻が一行に加わっていた。

横浜埠頭で式部官相馬孟胤（たけたね）らに迎えられた一行は直ちに横浜駅から鉄道で東京へ向かった。東京駅頭で外務大臣幣原喜重郎から歓迎の挨拶を受けた後、霞ヶ関離宮に投宿。昼食後に皇居に赴いて天皇皇后両陛下に謁見した。そこからさらに靖国神社、明治神宮を訪れて参拝した（図28）。同日、式部長官林権助が天皇陛下の名代として霞ヶ関離宮を返礼訪問し、三人のデンマーク王子に勲章を授与した。夜には在日デンマーク人たちが帝国ホテルで晩餐会を開いた。

一九日は午前中に上野東京音楽学校訪問、デンマークからの客人のために洋楽と邦楽が演奏された。洋楽部門は同学校教授のデンマーク人、チャールズ・ラウトロップが指揮した。正午に皇居を訪れ、天皇陛下、秩父宮、高松宮に迎えられ、豊明殿で昼食を賜った。午後に霞ヶ関離宮で在日外交官たちを迎えてレセプション開いた後、外務大臣幣原の官舎で晩餐を受ける。既に前日から風邪をひいていたクヌ王子が大事をとって退室した。

二〇日は、フレデリック王太子とマルガレータ王女が激しい雨の中鎌倉を訪れ大仏を見学、横浜へ向かった。別行動をとって大正天皇多摩陵を訪れていたアクセル王子とカウフマン公使が横浜で合流し、デンマーク人の経営していたブラフ・ホテルで昼食をとった。夜は東京で、その年に設立された日本・デンマーク友好協会の主催する晩餐会に出席、会長の高松宮殿下夫妻に歓迎された。ちなみに高松宮夫妻は同年九月に世界一周旅行の途上でデンマークを訪れている。食後には能『土蜘蛛』が演じられた。

二一日は日光を訪問し、東照宮などを見学して金谷ホテルに投宿、翌二二日に東京帰還、フレデリック王太子が皇居に天皇陛下を訪れ、歓待に対して礼を述べ、別れを告げた後、一行全員で歌舞伎座の夜の部を観劇、夜行列車で京都へ出発した。

翌二三日の朝に京都に達した一行は、ひとまず都ホテルで休憩した後、二手に分かれて京都の町を見学した。フレデリック王太子は明治天皇の桃山御陵を訪れて花輪を捧げたが、一方、アクセル王子とマルガレータ王女は二条城や清水寺を見学していた。夜は南禅寺に近い細川家別邸怡園(いえん)において純和風の料理を味わい、芸者による余興を楽しんだ。その夜のうちに鉄道で神戸に向かい、風邪で休養していたクヌ王子を既に乗せていたフィオニア号に乗船して出航した。瀬戸内海を航海して下関へ。そこで北京へ向かうカウフマン公使夫妻、アクセル王子夫妻が下船した。後日青島でアクセル王子夫妻が再び合流し、フィオニア号はシンガポール、コロンボ、カイロを経て五月八日にジェノヴァに到着。一行はそこから鉄路でコペンハーゲンに五月十日に帰着した。(注12)

ごく短期間の滞在であったが、三人のプリンスの日本訪問が、その後の両国間親善を深めることになったのは言うまでもない。ちなみにフレデリック王太子が王位についてフレデリック九世となり、その長女マルグレーテが現在の女王マルグレーテ二世である。

ニールス・ブックとデンマーク体操の紹介

デンマーク体操は、一九二〇年にフューン島のオレロップ体育ホイスコーレの校長ニールス・ブック（一八八〇—一九五〇）により考案された。スウェーデン体操を基本に、運動の流れをリズミカルにしたもので、日本のラジオ体操にも影響を与えている。既に一九二一年から四年間、最初の日本人三橋喜久雄（一八八八—一九六九）が同地を訪れて指導を受け、帰国後に成城学園でブックの教えを伝えた。続いて内山数雄などもブックの学校で学び、さらに一九三〇年には成城学園から斎藤由理男がオレロップに留学した。その頃からブックを日本へ招聘する話が具体化していたが、成城学園に関わった後玉川学園を創始した小原國芳（一八八七—一九七七）が、翌三一年世界外遊の途中でオレロップを訪れた折に、訪日が正式に決定した。(注13)

同年九月にブックの一行一七名がシベリア経由で来日し、ひと月ほどの滞在中、成城学園、玉川学園を皮切りに、体操の実演ばかりではなく、デンマークの夕べなども催して、多彩なプログラムを全国各地で行った。最終公演は自由学園での実演だった。なお、その翌年にはデンマーク人女性教師リッテン・クローン＝カールが日本を訪れ、成城学園、玉川学園、自由学園の各所で実地に指導した。(注14)

自由学園の卒業者船尾信子と立祥子の二人はその後一九三四年から三五年にかけて同学園創立者羽仁もと子（一八七三—一九五七）の勧めでオレロップに留学した。ちなみにこの二人は、一九三七年にニールス・ボーア夫妻が日本を訪れた折に、夫妻を自由学園に招待すべく書状を送っていた。あいにくボーア夫人のみ学園を訪れただけに終わったが、羽仁は箱根に向かって出発直前のボーア夫妻を宿舎であった帝国ホテルに訪ね、短い対話を行った記録がある。

戦後も日本からオレロップに留学する学生は後を絶たず、またオレロップからもチームが来日にして親交を深めている。(注15)

デンマーク体操の伝統を基礎にして、デンマークがスポーツの盛んな国になっていることは注目に値する。サッカー、バドミントン、ハンドボール、水泳、ヨットレース、自転車競技と、人口が五六〇万の小国ながら、デンマークのスポーツは世界的レベルにある。

前畑秀子と競った不屈なオリンピック選手インゲ

一九三六年八月、和歌山県出身の前畑秀子(一九一四―一九九五)がベルリンオリンピック女子平泳ぎ決勝戦において金メダルを獲得した。ラジオの中継で「前畑、がんばれ!」の掛け声で伝説化された選手である。実はそのレースにはデンマーク少女インゲ・セーレンセン(一九二四―二〇一一)も参加していた。ヒトラーの演出したベルリンオリンピックの参加者は総勢四〇四六人だったが、その中の最年少、一九二四年七月一八日生まれで、オリンピック開幕の二週間ほど前に十二歳になったばかりだった。

それに先立つ六月のデンマーク選手権大会において二百メートル平泳ぎの種目で大人たちを向こうにまわして優勝し、オリンピック出場が決まった。

決勝戦の日はアドルフ・ヒトラーが観戦するという噂が立っていたが、彼は現われず、代わりに真っ白な夏服を着たヘルマン・ゲーリングが立っていた。やがて決勝に進出した七名の選手たちがスタート台に上った。

心理的プレッシャーがなかったインゲは予選でゆうゆうと泳いで勝ち抜き、タイムがよかったので入賞するかもしれないと期待が寄せられていた。けれども、金銀メダルがドイツのマルタ・ゲネンゲルと日本の前畑秀子との間で争われるのは誰の目にも明らかだった。その二人には大きなプレッシャーがかかっていたが、インゲは銅メダルをかけて気楽に決勝に臨んでいたのである。ライバルはオランダのワールベルグとドイツのヒョルツネルだった。

合図のピストルが打たれ、ヒートが始まった。予想通り前畑とゲネンゲルが壮絶なレース展開を見せた。放送席ではＮＨＫのスポーツアナウンサー河西三省(かさいみつみ)が、絶叫しつつ激戦ぶりを伝えていたが、そのすぐ横では、これもデンマークで語り草となったアナウンサーのグンナー・ハンセンが、負けじと少女インゲを応援する声を張り上げていた。

熱戦の末に前畑が堂々金メダルとなり、会場が沸き上がる中、ヒョルツネルを追い上げるインゲを応援する声がさらに轟き渡った。そして、追いつくどころか追い抜き水をあけてインゲは三位になったのだった。

図29　メダル授賞式

インゲが三位になり、前畑秀子が優勝した翌日、大会のメイン競技場でメダルの授与式が行われた。各種競技の受賞者の中にはドイツ人の金メダリストたちも顔を連ね、その日こそヒトラーが到来すると告げられていたために、会場は盛り上がっていた。会場をぐりと囲んでハーケンクロイツの旗がはためき、上空にはツェッペリン飛行船ヒンデンブルグ号が旋回していた。そうした熱気に包まれた大舞台で、授賞式が執り行われたのである。

写真をご覧いただきたい（図29）。インゲ、前畑、ゲネンゲルが表彰台に上っている。デンマークの新聞記事によれば、インゲは頭に月桂冠をのせ、赤地に白十字のデンマークの国旗の色にふさわしく、白いドレスに赤いベルトを締めていた。中央、金メダリストの前畑は、頭上の月桂冠のほかにさらに月桂樹の鉢植えと思われるものを両手で抱えている。やがて君が代が演奏され、日の丸の旗が緩やかに掲揚されていった。

ナチス＝ドイツの旗も上った。それとともに銀メダリストのゲネンゲルはもちろん、会場のドイツ人たちはいっせいに右手を斜上にあげてまっすぐに伸ばしヒトラーを称えるナチス式の敬礼をしたのだが、インゲは両手を垂らしたまま、不動の姿勢で少女らしく目を輝かせてデンマークの国旗が上っていくのを見つめていた。十二歳のデンマークの少女は、毅然としてナチス流の敬礼をしなかったのである。胸に日の丸を縫い付けてある前畑秀子は深く頭を垂らしてお辞儀をしているが、これもナチス＝ドイツ式ではない。顔の表情も隠れていて見えない。日の丸を見上げてさえいない。一体どんな思いが過ぎっていたのだろうか。

図30　前畑とインゲ
（Tommy Heisz: *Svømmepigerne der forførte Danamrk i 1930'erne*. Informations Forlag 2014 より）

ベルリンオリンピックでは、外国人の選手がナチス＝ドイツ式に敬礼することは期待されもせず強要もされていなかった。けれども、その場の高揚した雰囲気に釣られてドイツ人と同じように右手を斜上に伸ばして敬礼する外国人選手が少なからずいたことをデンマークの新聞は記している。

インゲと前畑はそうしなかった。それが意識的な選択であったにしろ無意識のうちにたまたまそういう行動をとっただけにしろ、この二人はナチス＝ドイツ式の敬礼をしなかったのである。反抗や回避ではなくとも、順応はしなかった。
インゲはベルリンオリンピックの二年後にロンドンで開かれたヨーロッパ選手権大会で優勝したのを皮切りに、平泳ぎで次々と世界新記録を達成して一九四〇年の東京オリンピックに期待がかけられていたが、その夢は戦火により破れてしまった。東京オリンピックはインゲにとっても幻になってしまったのだった。(注16)
インゲと前畑はベルリンで仲良しになった。両国間交流を象徴するように二人が明るく微笑んでいる写真を見るにつけ、時代が時代であっただけにほのぼのとしてくる(図30)。

注1　拙稿『熊本日日新聞』二〇〇三年二月八日、二月一一日の記事「明治八代の思い出　デンマーク人の旅行記から」を参照。
注2　拙著『大北電信の若き通信士』を参照。
注3　拙稿「W・ブラムセンの情熱」『図書』二〇一〇年一一月を参照。
注4　前掲『大北電信の若き通信士』を参照。
注5　同じく『大北電信の若き通信士』ならびに前掲『日本・デンマーク文化交流史 1660-1873』を参照。
注6　『上毛新聞』二〇〇四年一〇月二五日、一一月一日の拙稿「ノルデンショルドの同伴者　ホウゴーの群馬訪問」、ならびに拙稿「ノルデンショルドの同伴者　ホウゴーの草津・浅間山への旅」『群馬歴史散歩』第一八八号、二〇〇五年を参照。

注7　『漂流奇譚西洋劇』についての詳細は、河竹登志夫「暁斎と黙阿弥」『河鍋暁斎画集1　本画・画稿』所収を参照。
注8　詳しくは、拙稿「名古屋城、明治21年、デンマーク軍人の訪問記」中日新聞、二〇〇五年六月三〇日、拙稿「大仏と日本一美しいと評判の女性に会いに明治二十一年の奈良訪問　デンマーク人大尉コーノウの印象記から」『月刊奈良』二〇〇六年六月号を、拙稿「コーノウ大尉の見た敦賀」（上）（下）『県民福井』二〇〇五年六月二〇日、二七日、拙稿「コーノウ大尉の見た明治の函館」『北海道新聞』二〇〇六年八月二九日を参照。
注9　拙著『明治の国際人・石井筆子』を参照。
注10　拙稿「コペンハーゲン動物園の花子」東京新聞夕刊　二〇〇二年一一月二六日を参照。
注11　詳しくは、拙稿「デンマーク人の「明治」探訪：記録の中の明治天皇とその時代」明治神宮国際神道文化研究所発行『神園』第十四号、平成二七年一一月所収を参照。
注12　Mette Laderrière（ed）：*Danes in Japan 1868-1940*, Copenhagen 1984 を参照。
注13　『日本&デンマーク　私たちの友情150年』を参照。
注14　前掲 Mette Laderrière（ed）：*Danes in Japan 1868-1940* を参照。
注15　拙著『ニールス・ボーアは日本で何を見たか』第五章を参照。
注16　拙稿「オリンピックの年に思うこと　ベルリン大会　前畑秀子とデンマークの少女」わかやま新報二〇一六年六月二日、三日を参照。

第10章　戦後から現代まで

明仁皇太子のデンマーク訪問

平成上皇が皇太子であった一九五三年、昭和天皇の名代として英国女王エリザベス二世の戴冠式に出席された。それを機にヨーロッパ各地をご訪問されたが、前述のデンマーク国王フレデリック九世の一家に招かれて、爽やかですばらしい八月の初めに過ごした日々が特に印象に残ったようである。フレデリック九世はスウェーデン人のイングリッドと結婚し、三人の娘がいた。後にデンマークで王位継承をめぐって議論がなされた時には速やかに第一子長女の女王擁立が決定され、マルグレーテ二世として即位することになった。そのまだ少女時代に当時の明仁皇太子はデンマークで出会い、王室の賓客としてグロスティーン宮などで和やかな時を過ごしたのだった。王女が十三歳、皇太子はまだ二十歳になっていなかった。

日本の若きプリンスは外国での社交にはまだ不慣れで、控えめな性格もあって心細い思いをなさ

ることもあったと思われる。そんな時に温かく迎えてくれたデンマーク王室の厚情は忘れがたいものになったようである。十年後の一九六三年にマルグレーテ王女が東アジア各国歴訪の際に初めて日本を訪れた時には、皇太子殿下が美智子妃殿下とともにマルグレーテ王女を迎え、歌舞伎観劇をするなどして親しく日本を案内した。四年後に王女は結婚し、夫ヘンリック殿下とともに一九七〇年に大阪万博を訪れている。

一方、一九七一年には昭和天皇と香淳皇后が戦後初めてヨーロッパ各国を訪問した際にデンマークに立ち寄り、フレデリック九世に迎えられてハムレットで有名なクロンボー城などを見学した。そしてその十年後の一九八一年、マルグレーテ女王陛下がヘンリック王配殿下を伴って日本を訪問し、公式晩餐会のほかにも展示会などを見学し、リニューアルされた広島平和記念資料館も訪れた。

皇太子殿下妃殿下は一九八五年にデンマークを公式訪問し、浮世展などを見学している。また、一九八九年に即位し平成の時代になってからは、一九九八年に国賓としてデンマークを訪れ、公式晩餐会のほか、王立劇場でバレエを鑑賞、コペンハーゲン大学で懇談、さらに美智子妃殿下のご希望でアンデルセンの町オーデンセにも赴いた。

二〇〇四年、皇太子であった今上天皇徳仁は、マルグレーテ女王の長男フレデリック王太子とメアリー王太子妃との結婚式に出席するためにデンマークを訪れた。以来、今上天皇皇后両陛下と王太子フレデリック王太子妃メアリー両殿下の間には温かい親交が続いている。

同じ二〇〇四年にはマルグレーテ女王陛下ご夫妻が日本を公式訪問し、宮内庁三の丸尚蔵館で開催されていたロイヤルコペンハーゲン展を見学したりした。一行には、デンマーク産業界の代表団も同行、日本のロボット技術に注目していた。

勇敢なデンマーク人機関長クヌッセン

既に随所で語られ、半ば伝説化している英雄譚であるが、デンマーク人の勇敢さを象徴し、日本との交流史上忘れられないのが機関長クヌッセンの殉難である。

一九五七年二月一〇日の夜、デンマークの貨物船エレン・メアスク（マースク）号が名古屋から神戸へ向かって紀州灘を航行中に、嵐の中で徳島の機帆船高砂丸が和歌山県日ノ御埼沖で炎上し助けを求めているのを発見した。日本人船員が海に落ちたのを見て、デンマーク船の機関長ヨハネス・クヌッセン（一九一七―一九五七）は直ちに強風で荒れる海に飛び込み救出を試みたが、二人とも波に飲まれてしまった。翌朝、日高町田杭港の近くでクヌッセンの遺体が発見された。地元の人々はクヌッセンの英雄的行為に大いに感銘し、同年八月に殉難現場近くの美浜町に顕彰碑を建立した。また、遺体が漂着した日高町の海岸近くにも「発見の地」の石碑が建てられ、以来、毎年命日には慰霊献花が行われている。こうして一人の勇敢なデンマーク人の行為が、日本とデンマークの親善に末長く貢献することになったが、日本政府も、クヌッセンの顕著な功績を認めて、死亡同日付で勲五等に叙し、双光旭日章を贈与した。

東日本大震災後の被災地をいち早く訪れたデンマーク王太子

フレデリック王太子（一九六八―）は、デンマークを代表して初の外国公式訪問を一九八七年に行った。徴兵期間中であったが、秋の数日間、当時西武セゾングループが中心になって企画した「北欧デザインの今日　生活の中の形展」の開幕に立ち会うための日本訪問だった。天皇皇后に謁見するなどの儀礼的な行事をこなす以外にも、広島の平和記念碑に献花し、トヨタの工場を訪問するなどして、両国間の交流に尽くした。

その十年後の一九九七年に再び日本を訪れたフレデリック王太子は、貿易振興を目的にし、二十一世紀のデンマークをテーマにして開催された展示会の開幕に出席した。皇居を訪問し、前回の訪問後に結婚していた皇太子徳仁親王と雅子妃殿下とも親交を結んだ。また、インスリンで世界的に有名なノボノルディスク社の日本新工場開業に立ち会うなどして、日本に支社を持つデンマーク各企業の振興に貢献した。さらに、今は閉園となってしまったが、コペンハーゲンのチボリ公園を再現した倉敷チボリ公園も訪れている。

フレデリック王太子は二〇〇四年にオーストラリア人のメアリー妃殿下と結婚、その挙式には皇太子徳仁親王が列席した。祝宴晩餐会ほか一連の慶祝行事にも出席した。

その翌年、フレデリック王太子はメアリー妃殿下を伴って短期間日本を訪れたが、皇太子徳仁親王が総裁を務めた万博ＥＸＰＯ ２００５に出席するためだった。同じ機会にデンマークのコリングの姉妹都市である愛知県安城市をフレデリック王太子が訪問し、王太子妃はオーデンセと姉妹都市の千葉県船橋市にあるアンデルセン公園を訪れている。

二〇一一年六月、東日本大震災の発生から三か月後、親日家のフレデリック王太子は急遽被災地を訪れ、注目の的になった。破壊的な津波に襲われた地方でまだ放射能漏れの危険が報じられていた時期になされたこの非公式の訪問は、異例のことでもあり、デンマークと日本のみならず、世界のメディアでも取り上げられた。デンマークの企業からの寄付や支援物資を携えての訪問では、東松島市で被災した子どもたちを慰問し、いっしょにフットサルをするなどして激励した。子どもたちも、厚紙で作ったかぶとを王太子に贈って感謝の気持ちを表した。これは親善のシンボルとしてデンマーク王室のコレクションに加えられている。

スポーツマンであり極度の体力を要求される潜水工作兵の資格を持つ海軍将校でもあるフレデリック王太子は、デンマーク人の勇敢さを誇示することになったが、冗談も飛ばす気さくな性格で友情に厚い人物として好感を持たれている。皇太子徳仁親王が二〇一七年に二度目にデンマークを訪れた折には親身になって応対し、格式ばらない皇位・王位継承者間の関係が際立っていた。ちなみに、気軽に街の散策に出た徳仁親王が、デンマークの若者とセルフィーを撮って話題になったのもこのときだった。

徳仁親王が即位して天皇徳仁となった今、雅子皇后とともに日本の皇室が、いつの日かフレデリック王太子とメアリー妃殿下が代表することになるデンマーク王室との間に、互いに支え合う新しい関係を築くよう、将来が期待されている。

参考文献

イサク・ディネセン『ピサへの道』七つのゴシック物語Ⅰ、『夢みる人びと』七つのゴシック物語Ⅱ、横山貞子訳　白水社　二〇一三年
一志治夫『アンデルセン物語：食卓に志を運ぶ「パン屋」の誇り』新潮社　二〇一三年
伊藤正文ほか編『世界文学大事典』第5巻「事項」、「デンマーク文学」　集英社　一九九七年
ヴイシェスラフツォフ『ロシア艦隊幕末来訪記』長島要一訳　新人物往来社　一九九〇年
エドゥアルド・スエンソン『江戸幕末滞在記：若き海軍士官の見た日本』長島要一訳　講談社学術文庫　二〇〇三年
岡田新一ほか『函館の幕末・維新：フランス仕官ブリュネのスケッチ一〇〇枚』中央公論社　一九八八年
北欧と日本　響き合うガストロミー：https://www.asahi.com/and_w_rc2019/about.html
カール・スコウゴー＝ピーターセン『デンマーク人牧師がみた日本：明治の宗教指導者たち』長島要一訳・編注　思文閣出版　二〇一六年
カール・ニールセン『フューン島の少年時代』長島要一訳　彩流社　二〇一五年
河竹登志夫「暁斎と黙阿弥」『河鍋暁斎画集1　本画・画稿』六耀社　一九九四年所収

久米邦武編、田中彰校注『特命全権大使　米欧回覧実記（四）』岩波文庫　一九八〇年
国立公文書館編『日本とデンマーク　文書でたどる交流の歴史』記念展目録　二〇一七年
セシル・ボトカー『シーラスシリーズ』全十四巻　評論社　一九八一―二〇〇七年
中里巧「キルケゴール：実存の真理」『デンマークを知るための68章』所収
長島要一『森鷗外の翻訳文学：「即興詩人」から「ペリカン」まで』至文堂　一九九三年
長島要一「デンマークにおける岩倉使節団、「米欧回覧実記」の歪み」田中彰・高田誠二編『「米欧回覧実記」の学際的研究』北海道大学出版会　一九九三年所収
長島要一『明治の外国武器商人：帝国海軍を増強したミュンター』中公新書、一九九五年。同タイトルの電子書籍版（二〇〇七年）では、若干の訂正が施されている。
長島要一「「元文の黒船」と北方領土　スパンベルグ報告書への関心」毎日新聞夕刊　一九九九年一〇月七日
長島要一「コペンハーゲン動物園の花子」東京新聞夕刊　二〇〇二年十一月二十六日
長島要一「明治八代の思い出　デンマーク人の旅行記から」熊本日日新聞　二〇〇三年一月八日、二月十一日
長島要一「ノルデンショルドの同伴者　ホウゴーの群馬訪問」上毛新聞　二〇〇四年十月二十五日、十一月一日
長島要一「ノルデンショルドの同伴者　ホウゴーの草津・浅間山への旅」『群馬歴史散歩』第一八八

号、二〇〇五年
長島要一『森鷗外：文化の翻訳者』岩波新書　二〇〇五年、二〇一五年
長島要一「コーノウ大尉の見た敦賀」（上）（下）県民福井　二〇〇五年六月二〇日、二七日
長島要一「名古屋城、明治21年、デンマーク軍人の訪問記」中日新聞　二〇〇五年六月三〇日
長島要一「大仏と日本一美しいと評判の女性に会いに明治二十一年の奈良訪問　デンマーク人大尉コーノウの印象記から」『月刊奈良』二〇〇六年六月号
長島要一「コーノウ大尉の見た明治の函館」北海道新聞　二〇〇六年八月二九日
長島要一『日本・デンマーク文化交流史 1660-1873』東海大学出版会　二〇〇七年
長島要一「人魚姫にライバル」朝日新聞　二〇〇九年七月十八日
長島要一「W・ブラムセンの情熱」『図書』二〇一〇年十一月号
長島要一『ニールス・ボーアは日本で何を見たか：量子力学の巨人、一九三七年の講演旅行』平凡社　二〇一三年
長島要一『大北電信の若き通信士』長崎新聞選書　二〇一三年
長島要一「「作家」キルケゴールの虚と実：婚約者レギーネの日記から」（上）（下）、『図書』二〇一三年十月号、十一月号
長島要一『明治の国際人・石井筆子：デンマーク女性ヨハンネ・ミュンターとの交流』新評論　二〇一四年

長島要一「デンマーク人の「明治」探訪：記録の中の明治天皇とその時代」明治神宮国際神道文化研究所発行『神園』第十四号、二〇一五年十一月所収

長島要一『大正十五年のヒコーキ野郎：デンマーク人による飛行新記録とアジア見聞録』原書房　二〇一六年

長島要一「オリンピックの年に思うこと　ベルリン大会　前畑秀子とデンマークの少女」わかやま新報　二〇一六年六月二日、三日

『ノーベル賞文学全集3　ギェレルプ　ポントピダン　シュピッテラー』主婦の友社　一九七二年

ハンス・クリスチャン・アンデルセン『影』『雪だるま』『母親』『人魚姫』「あなたの知らないアンデルセン」シリーズ、長島要一訳　評論社　二〇〇四―二〇〇五年

村井誠人監修『デンマークを知るための68章』明石書店　二〇〇九年

村井誠人編『日本&デンマーク　私たちの友情150年』日本デンマーク協会　二〇一七年

百瀬宏・村井誠人監修『世界の歴史と文化　北欧』新潮社　一九九六年

ヤンネ・テラー『人生なんて無意味だ』長島要一訳　幻冬舎　二〇一一年

吉武信彦『日本人は北欧から何を学んだか：日本―北欧政治関係史入門』新評論　二〇〇三年

Julius Aagaard: *Japan i Zoologiske Have*, København 1902

Troels Andersen: *Asger Jorn – en biografi*, Forlaget Sohn, 2011

Steen A. Bille: *Beretning om Corvetten Galatheas Reise omkring Jorden 1845, 46 og 47*. København 1849-51
A.P. Botved: *København – Tokio – København Gennem Luften*. København 1926, 1930
Den Store Danske Encyklopædi , Gyldendal, 1994-2001
http://denstoredanske.dk/It,_teknik_og_naturvidenskab/Fysik/Fysikere_og_naturvidenskabsfolk/Hans_Christian_Ørsted
http://denstoredanske.dk/Samfund%2c_jura_og_politik/Samfund/Offentlig_social_forsorg/plejehjem
Per Friedrichsen (red.): *Ole Rømer – videnskabsmand og samfundstjener*, Gad, i samarbejde med Kroppedal, 2004
http://sspp.phys.tohoku.ac.jp/yoshizawa/kousoku.htm　（光速測定の歴史について）
http://fnorio.com/0128Romer_1676/Romer_1676.html　（レーマーが光速を算出した方法について）
Tommy Heisz: *Svømmepigerne der forførte Danmark i 1930'erne*. Informations Forlag 2014
Expat Insider 2019 Survey Reveals: The Best and Worst Destinations to Live and Work in 2019:
https://www.internations.org/press/press-release/expat-insider-2019-survey-reveals-the-best-and-worst-destinations-to-live-and-work-in-2019-39881

Henri Konow: *I Asiens Farvande*. København 1893

Karl Madsen: *Japansk Malerkunst*. København 1885

Mette Laderrière（ed）: *Danes in Japan 1868-1940*, Copenhagen 1984

Kimiya Masugata: A Short History of Kierkegaard's Reception in Japan. Based on　枡形公也「日本におけるキェルケゴール受容史」『大阪教育大学紀要　Ｉ人文科学』三八巻一号、一九八九年

Yoichi Nagashima: *De dansk-japanske kulturelle forbindelser 1600-1873*, Museum Tusculanums Forlag, 2003

Yoichi Nagashima: *Dødens Købmand Balthasar Münter*, Gyldendal 2006

Yoichi Nagashima: *De dansk-japanske kulturelle forbindelser 1873-1903*, Museum Tusculanums Forlag, 2012

Kristian Hvidtfelt Nielsen: *Vindmøllens historie: Sådan tæmmede danskerne vindens energi*.

Forskerzonen. https://videnskab.dk/teknologi-innovation/olafureliasson.net

Ove Kaj Pedersen: Velfærd: Ideen, der ændrede vores samfund totalt. Forskerzonen, Videnskab.dk

Søren Hein Rasmussen & Peter Yding Brunbech: Velfærdsstaten. Danmarkshistorien.dk

Poul Erik Tøjner: *Per Kirkeby – maleri*, Gyldendal, 2008

Poul Vad: *Hammershøj,* Gyldendal, 1990

おわりに

『デンマーク文化読本』と題してあるので、すべてデンマークに関することが書かれていると思って手にされた読者は失望なさったかもしれないが、「日本との接点」とある通り、本書は日本とデンマークの文化交流の有り様を描写し、その視点から日本人にとってのデンマーク像を浮き彫りにしようと試みた。両者がそれぞれの文化的背景にとらわれ影響されながら相手の姿を観察し、感心したり誤解をしたりとさまざまな反応を繰り返し培ってきた親善の様相を知っておくことは、デンマークの文化を理解する上で大切な要素だと信じている。お互いの文化をいかに「翻訳」してきたかを見ながら、「原作」を探ってみようというわけである。国際化がここまで進み、諸文化が複雑に入り組み溶け合って各分野でハイブリッドが横行する今日、「デンマーク的」とか「日本的」という見方は、歴史をさかのぼって観察することで初めて明確になるのではないだろうか。

本書には、デンマークの観光案内になりそうな箇所は多くはないかもしれないが、その分、もう少し深いところでデンマークをよりよく知るための情報が散りばめてある。デンマークをより深く理解するための参考にしていただければ幸いである。

本書の刊行にあたっては、大日本印刷株式会社から温かいご支援をいただいた。特別顧問である高波光一氏、大丸和則氏、鈴木智之氏には大変お世話になったので、記して御礼申し上げる。

また、企画当初からご助力をいただいた丸善出版の小林秀一郎部長、ならびに綿密かつ柔軟に編集作業をしてくださった柳瀬ひなさんにも、心より感謝の言葉を贈らせていただく。

エルシノアにて　筆　者

追記

新型コロナウィルスの影響で国民のほとんどが家に閉じ込められていた間、デンマークでは福祉国家の根本精神「連帯感」が発揮され、毎朝九時のニュースの後で一〇分間、「一人ひとり、みんなで歌おう」のスローガンのもとに、「国民高等学校歌唱集」から選曲された曲をピアノの伴奏で歌っていた。手をつないで確かめられる絆はなくても、いっしょに歌うことで「連帯感」を得て励ましあっていたのだ。デンマークらしさの一例として挙げておく。

や 行

ら 行

わ 行

さ 行

た 行

な 行

は 行

ま 行

人 名 索 引

あ 行

か 行

ま 行

や 行

ら 行

わ 行

た　行

な　行

は　行

事項索引

あ行

か行

さ行

長島 要一（ながしま・よういち）
1946年東京に生まれる。コペンハーゲン大学DNP特任名誉教授。コペンハーゲン大学よりPh.D.ならびにDr.phil.取得。日本・デンマーク文化交流史研究のほか、森鷗外研究、アンデルセン作品の翻訳を行う。翻訳書に『あなたの知らないアンデルセン』シリーズ（評論社）、著書に『ニールス・ボーアは日本で何を見たか：量子力学の巨人、一九三七年の講演旅行』（平凡社）など多数がある。

デンマーク文化読本
日本との文化交流史から読み解く

令和2年10月30日　発　行

著作者　長　島　要　一

発行者　池　田　和　博

発行所　丸善出版株式会社
〒101-0051 東京都千代田区神田神保町二丁目17番
編集：電話(03)3512-3265／FAX(03)3512-3272
営業：電話(03)3512-3256／FAX(03)3512-3270
https://www.maruzen-publishing.co.jp

組版印刷・株式会社 日本制作センター／製本・株式会社 松岳社

ISBN 978-4-621-30559-1 C0022　Printed in Japan